OLIVER JAMES tem formação e prática em psicologia clínica infantil e desde 1988 também trabalha como escritor, jornalista, produtor e apresentador de documentários de televisão. Seus livros incluem os best-sellers *They F*** You Up* [Eles f**** com você], *Affluenza* [Afluência], *Contented Dementia* [Demência satisfeita] e *Office Politics* [Política corporativa]. Visite o site: www.selfishcapitalist.com

THE SCHOOL OF LIFE se dedica a explorar questões fundamentais da vida: *Como encontrar satisfação no trabalho? É possível compreender nosso passado? Por que é tão difícil administrar relacionamentos? Se pudéssemos mudar o mundo, deveríamos mudá-lo?* Com sede em Londres e escritórios em vários países, The School of Life oferece aulas, terapias, livros e outras ferramentas para ajudá-lo a ter uma vida mais plena. Não temos todas as respostas, mas guiaremos você a uma variedade de ideias relacionadas às ciências humanas — da filosofia à literatura, da psicologia às artes visuais — para estimular, provocar, nutrir e consolar.

Como desenvolver saúde emocional

Oliver James

Tradução: Cássia Zanon

OBJETIVA

Editora Objetiva Ltda.
Rua Cosme Velho, 103
Rio de Janeiro — RJ — Cep: 22241-090
Tel.: (21) 2199-7824 — Fax: (21) 2199-7825
www.objetiva.com.br

Título original
How to Develop Emotional Health

Capa
Adaptação de Trio Studio sobre design original de Marcia Mihotich

Projeto gráfico
Adaptação de Trio Studio sobre design de seagulls.net

Revisão
Cristiane Pacanowski
Bruno Fiuza
Ana Grillo

Editoração eletrônica
Trio Studio

CIP-BRASIL. CATALOGAÇÃO-NA-FONTE
SINDICATO NACIONAL DOS EDITORES DE LIVROS, RJ

J29c

James, Oliver
Como desenvolver saúde emocional / Oliver James ; tradução Cássia Zanon. – 1. ed. – Rio de Janeiro : Objetiva, 2015.
176 p. (The School of Life)

Tradução de: *How to Develop Emotional Health*
ISBN 978-85-390-0654-0

1. Conduta. 2. Hábitos de saúde. 3. Saúde. 4. Corpo e mente. 5. Medicina preventiva. 6. Felicidade. 7. Autorrealização (Psicologia). I. Título. II. Série.

14-18873 CDD: 158.1
CDU: 159.947

Sumário

Introdução:

Você é emocionalmente saudável?

Saúde emocional é a noção de que a vida está acontecendo aqui e agora. É vivenciar o mundo pessoal e imediatamente, em vez de apenas saber o que foi vivido ao refletir a respeito mais tarde.

Quando a pessoa tem saúde emocional, ela se sente real e não falsa. Ela se sente confortável sendo quem é; não deseja ser outra pessoa nem olha com desprezo para as demais por não serem como ela. A pessoa sabe o que está pensando e sentindo, mesmo que às vezes isso signifique apenas reconhecer que não sabe.

Ela tem um consistente código ético próprio, que lhe permite distinguir o certo do errado. É estoica diante das adversidades, realista quanto às próprias ideias e com frequência parece sábia em seus julgamentos. Tem a capacidade de perceber suas próprias ações. Às vezes, consegue identificar antecipadamente quando está prestes a cometer um erro e o evita, ou percebe quando está reagindo de maneira irracional a uma situação e corrige a si mesma — depois de bater o carro, não o faz novamente. Percebe que o sinal ficou vermelho ou que há um muro se aproximando e vira a direção. Isso lhe dá o néctar da alma, a capacidade de escolha e, portanto, de mudar. Essa autoconsciência é o que nos diferencia dos outros animais.

Nas relações diárias com os outros, a pessoa com saúde emocional sabe avaliar o que estão sentindo e pensando. Consegue viver no lugar em que o eu e os outros se encontram, sem tirania. Não fica nem "travada na transmissão" nem "travada na recepção". Vive sem sufocar ou dominar outras pessoas, e não é sufocada ou dominada.

É adaptável, mas sem perder a si mesma. Quando essa pessoa se vê em situações sociais ou profissionais que exijam alguma medida de fingimento, consegue vestir uma máscara para a ocasião sem perder o senso de autenticidade. Seu eu real é o mais próximo possível do que apresenta aos outros, dependendo do que seja factível. Pois se for necessário mentir, mente.

A vivacidade da pessoa emocionalmente saudável é extraordinária. Consegue levar alegria a qualquer situação, mas não é algo frenético e não parece algo apenas para "manter-se ocupado", para se distrair de maus sentimentos. Ela é espontânea e está sempre em busca da forma mais divertida de lidar com as coisas, mantendo um brilho característico da infância, uma convicção de que a vida é para ser aproveitada e não suportada. Não é afetada por joguinhos de carência, imaturos e egoístas de manipulação.

De tempos em tempos, pode sofrer com depressões, raivas, fobias e todas as outras formas de problemas. Comete erros. Mas, por causa da saúde emocional, consegue viver no presente e encontrar o valor da própria existência, não importando o que esteja acontecendo, e isso a torna resiliente.

Quando as pessoas entram em contato com ela, costumam se sentir mais capazes, mais alegres e animadas. Seu bem-estar passa para os outros. A pessoa emocionalmente saudável não é um mártir, mas é vista como importante contribuinte dos círculos social e profissional de que faz parte.

Você já conheceu alguém assim? Não? Eu também não.

Mas é a isso que me refiro quando falo em saúde emocional. Nenhum de nós é emocionalmente saudável o tempo todo, de todas essas formas. A maioria de nós atinge essa saúde emocional em apenas alguns dos aspectos descritos, e apenas em parte do tempo. Poucos conseguem esse tipo de saúde emocional em muitos desses aspectos e a maior parte do tempo — talvez 5 ou 10% de nós. Ajudar você a se aproximar mais da saúde emocional é o objetivo deste livro.

Quem tem saúde emocional?

Ter saúde emocional não tem nada a ver com o quanto se é inteligente, atraente, ambicioso ou rico. Na verdade, é possível que os grandes realizadores, de todos os grupos, sejam os menos propensos a serem emocionalmente saudáveis. Muitas pessoas emocionalmente saudáveis têm empregos mal remunerados e sem status e se focam mais em suas casas do que em suas vidas profissionais.

A maioria de nós nasce emocionalmente saudável. Um bebê sabe exatamente quem é. A maioria das crianças pequenas sabe como elas são e, quando se sentem seguras, são espontaneamente alegres. As brincadeiras das crianças pequenas servem de modelo para todos os adultos. É normalmente quando as crianças vão para a escola, em especial entre os 7 e os 9 anos, que os desafios à saúde emocional aparecem mais visivelmente. Conforme surgem a pressão para se encaixar e a comparação com os outros, passa a ser cada vez mais comum não ser emocionalmente saudável. É apenas no final da meia-idade ou na idade avançada, depois de um longo período sendo largamente derrotada pelos desafios, que a saúde emocional começa a voltar — quando volta. Como disse Oscar Wilde: "Viver é a coisa mais rara do mundo. A maioria das pessoas apenas existe."

Uma forma de ver a questão é como numa espécie de divisão em sete idades para a saúde emocional, como em *As sete idades do homem* de Shakespeare, em que começamos saudáveis e apenas voltamos a sê-lo perto do final. Isso pode ser corroborado por três grandes pesquisas sobre doenças mentais realizadas com a população britânica, segundo as quais os grupos com maior probabilidade de sofrer com doenças mentais são aqueles com idades entre 16 e 24 anos, com declínio constante das doenças mentais a partir de então e atingindo os níveis mais baixos na velhice. Depois do começo da vida adulta, a probabilidade de ser mentalmente saudável melhora a cada ano.

O que a saúde emocional não é

É importante lembrar que a saúde emocional não se define nem pelo humor nem pela sanidade. É algo diferente de saúde mental. Uma pessoa emocionalmente saudável pode ficar deprimida ou iludida, embora isso provavelmente seja raro.

A saúde emocional é definida pelos pontos positivos descritos anteriormente, ao passo que a saúde mental é amplamente definida de modo negativo, pela ausência de doenças mentais, como ansiedade, ou problemas mais extremos, como as variações de humor do transtorno bipolar. No entanto, é interessante notar que nas raras

Felicidade é um estado fugaz, a sensação de prazer que se tem com sexo ou com um cigarro.

tentativas de se medir a saúde mental (em vez de a doença mental) *positivamente*, ela é considerada quase tão rara quanto a variedade emocional. Um psicólogo norte-americano chamado Robert Keyes realizou um estudo meticuloso com 3 mil pessoas. Apenas 17% delas eram "completamente saudáveis mentalmente", definidas como prósperas e sem qualquer sinal de doenças mentais.

É muito anormal para um adulto em qualquer nação desenvolvida ter uma saúde emocional plena. Na verdade, é algo raro em todos os ambientes urbanizados e industrializados. Correndo o risco de invocar o idealizado Bom Selvagem, talvez seja a norma apenas em ambientes pré-industriais — cidades pequenas ou sociedades caçadoras-coletoras (nômades) sem agricultura estabelecida. Certamente não é a norma em nossa sociedade moderna.

A saúde emocional também não deve ser confundida com ideias como "satisfação de vida" ou "bem-estar", nem com felicidade. Esta última normalmente é um estado fugaz, a sensação de prazer que se tem com sexo ou com um cigarro, ou a satisfação de ficar sabendo a nota alta em uma prova. Cuidado com os autores que oferecem o dom da felicidade. Não passa de uma poção mágica psicológica. Na minha opinião, nós não fomos postos neste planeta para sermos felizes, mas é plausível supor que podemos ser mais saudáveis emocionalmente.

Natureza versus criação

Uma questão pode estar se formando em sua mente: por que você e seus irmãos, ou seus filhos, diferem em termos de saúde emocional?

A resposta, um dos segredos mais bem guardados da ciência moderna, é que isso quase nada tem a ver com genética.

Há doze anos, o Projeto Genoma Humano vem organizando grandes grupos de pessoas com um mesmo problema, como depressão ou hiperatividade, e comparando seus genes com os de um grupo equivalente sem o problema. Pouquíssimas diferenças genéticas foram encontradas. No máximo, até agora, a genética explica de 5 a 10% de quase todas as doenças que foram estudadas. Isso se aplica inclusive para problemas raros e extremos, como esquizofrenia (com sintomas como delírios ou alucinações). Os cientistas conseguiram observar mais de um milhão de localizações genéticas em cada indivíduo. No entanto, entre 90 e 95% das diferenças entre grupos distintos — esquizofrênicos versus não esquizofrênicos, por exemplo — não são genéticas. Já que todas as localizações genéticas mais plausíveis foram examinados, agora parece muito provável que essa será a conclusão final do Projeto Genoma Humano. As implicações são imensas. O papel dos genes na saúde emocional provavelmente é desprezível, até mesmo inexistente em muitos casos — entre 5 e 10%. Parece que os genes foram amplamente retirados do grande debate entre o livre-arbítrio e o determinismo. Como você verá, um mundo de possibilidades se abre.

Em nações desenvolvidas, a saúde emocional está claramente ligada à nossa experiência de vida, e há quatro experiências principais que, individualmente ou de maneira combinada, levam à saúde emocional na vida adulta. A primeira é ser amado nos primeiros anos de vida e criado com sabedoria nos anos seguintes. A segunda é receber o tipo certo de assistência e apoio amorosos no começo das adversidades da infância, como a perda de um dos pais, para que a pessoa consiga converter a adversidade em ouro emocional. A terceira é ser impelido por um choque radical e severo na vida adulta a repensar a vida completamente, resultando em repentino reconhecimento do próprio dom da vida. A última causa é uma profunda experiência espiritual ou terapêutica.

Se você não teve essas experiências, não se desespere. De modo algum tenho a intenção de que, simplesmente por ler este livro, você ascenda a um estado permanente e transcendente de saúde emocional — na verdade, como já foi dito, pessoas de fato saudáveis emocionalmente são muito raras. No entanto, com o tipo certo de conhecimento, todo mundo pode se tornar emocionalmente mais saudável. Essa promessa eu posso fazer.

Neste livro, resumi os elementos-chave da saúde emocional em cinco tópicos:

1. Percepção: a capacidade de compreender, olhando para o passado, por que você pode pensar, sentir e agir de determinada maneira.
2. Vivendo no presente: a capacidade de ter forte noção do *self*, de possuir a própria identidade e viver no presente, em vez de viver "como se" você fosse você, interpretando um papel.
3. Relacionamentos fluidos, de mão dupla: a capacidade de interagir livre e confortavelmente, com bom senso de tato e de modo assertivo, nem dominante, nem passivo.
4. Autenticidade: a capacidade de viver segundo valores com que você se identifica e nos quais acredita, em vez de valores que você aceita sem pensar, por padrão, frequentemente

Cuidado com autores que prometem felicidade instantânea. Isso não passa de poção mágica psicológica.

se manifestando em suas atitudes em relação ao trabalho e à carreira.

5. Alegria e entusiasmo: a capacidade de viver a vida com ânimo e prazer.

Com a ajuda de estudos de caso, vou mostrar como conquistar cada um desses elementos, para que você possa se aproximar mais da saúde emocional. Ao mesmo tempo, revelarei alguns dos desafios representados pela sua experiência quando bebê e na infância que podem estar prejudicando você. Se enfrentar esses desafios, a saúde emocional pode ser conquistada.

I. Percepção

O cheiro de grama recém-cortada faz você recordar das primaveras da sua infância, evocando imagens do seu pai andando com o cortador pelo gramado.

Uma música começa a tocar no rádio e leva você diretamente para o dia em que conheceu uma paixão.

Enquanto corta em tiras a torrada que vai acompanhar o ovo quente do seu filho, lembra como sua mãe não conseguia distribuir a manteiga uniformemente pelo pão, deixando algumas partes sem.

Esses são tipos comuns de lembranças "conscientes": sabemos que nossa experiência atual às vezes é influenciada pelo passado. O que não sabemos é até que ponto e com qual frequência isso acontece, sem nos darmos conta. Em um nível fundamental, os cuidados que recebemos nos primeiros anos de vida afetam constantemente a forma como nos sentimos e reagimos hoje, para o bem e para o mal. Ter percepção para identificar os primeiros padrões que reduzem a saúde emocional (e criar padrões que a amplifiquem) são os principais caminhos para desenvolvê-la.

Às vezes, pode ser uma questão simples de eliminar maus hábitos aprendidos de nossos pais. O pai de Jim costumava passar sermões. Jim era igual, o que prejudicava seus relacionamentos. A mãe de Sarah era caoticamente desorganizada. Ela também era. Com isso, Sarah nunca conseguia se sentir relaxada e positiva, o que diminuía seu ânimo. Para esses indivíduos, o simples fato de se darem conta de que não precisavam ser como seus pais nessas questões lhes permitiu colher frutos de grande riqueza emocional. Infelizmente, nossos problemas e nossas oportunidades podem ser muito mais profundos do que isso — ou seja, inconscientes — e, portanto, mais difíceis de ser identificados.

A atriz Mia Farrow era a quinta de uma família de oito filhos. Aos 19 anos, ela acreditava que por conta disso não recebera amor ou carinho. No entanto, ao longo dos vinte anos seguintes, se tornou mãe de 14 filhos, e agora alega que fazer parte de uma grande família é benéfico. Ela parece não ter tido percepção a respeito de si mesma, um componente de saúde emocional crucial para permitir a mudança e, em vez disso, parece ter repetido a própria história familiar.

Mas se a patologia pode passar de geração a geração, a saúde emocional também pode. Ian foi um filho muito amado, cuja mãe gostava demais de sua alegria quando pequeno. Mais tarde, os dois dividiam o mesmo tipo de senso de humor sutil. Tanto a mãe quanto o filho enfrentaram muitos problemas, mas a percepção de comicidade dos dois raramente era abalada. Suas piadas não eram tentativas de compensar a tristeza, nem do tipo "é melhor rir para não chorar", mas feitas realmente por diversão. Quando se tornou pai, Ian desenvolveu padrão semelhante com o filho. Eles tendem a estimular esse senso de humor divertido em todas as situações, ainda que haja outros aspectos do relacionamento dos dois menos saudáveis emocionalmente. Ian está se esforçando muito para identificar esses padrões menos úteis e desenvolver outros.

É muito mais fácil pensarmos nas características positivas dos nossos relacionamentos com nossos pais do que nas negativas.

A atriz Mia Farrow foi a quinta de oito filhos e se tornou ela própria mãe de quatorze.

Quando somos bebês, dependemos completamente de nossos pais para sobrevivência física, então o amor de um bebê ou de uma criança pequena por seu cuidador é incondicional. Isso frequentemente dura até a vida adulta. Protegemos muito nossos pais. No fundo, tememos que fazer críticas a nossos pais fará com que sejamos abandonados ou rejeitados, e preferimos caracterizar a nós mesmos como tendo tido uma infância feliz, qualquer que tenha sido a realidade. O exemplo mais impressionante que encontrei foi quando conheci a filha do famoso assassino em série britânico Fred West. Apesar de ter sido estuprada e violentada repetidas vezes, ela o defendia com unhas e dentes.

É importante que você compreenda que não estou tentando criar problemas entre você e seus pais. Não vou encorajá-lo a se tornar furiosamente injurioso ou infeliz a respeito do que não deu certo. Na verdade, é um caso de compreensão. Se você conseguir saber precisamente quais cuidados recebeu quando criança e desenvolver uma percepção de como isso orienta sua experiência presente, poderá transformar quem você é. O conhecimento acabará melhorando, e não envenenando, o seu relacionamento com os seus pais e ajudará a criar saúde emocional.

Antes de continuarmos, há uma informação extremamente importante que precisa ser reafirmada: a sua saúde emocional quase que certamente não está nos genes que você herdou. Tanto a saúde quanto a doença costumam existir nas famílias, e até agora se acreditava amplamente que os genes eram os principais responsáveis. Então, se não são eles, o que é?

Infância

Ao longo de várias décadas, tem ficado cada vez mais claro que nossa experiência inicial e a infância subsequente são críticas na determinação de nossa saúde emocional ao longo da vida. Pelo menos vinte estudos diferentes sugerem que quanto mais cedo sofremos maus-tratos, maiores e mais duradouros são os resultados negativos. Por exemplo, dentre oitocentas crianças acompanhadas do nascimento aos 9 anos, as que sofreram maus-tratos com menos de 3 anos eram mais perturbadas do que as que sofreram maus-tratos apenas entre os 3 e os 5 anos. Essas, por sua vez, eram mais perturbadas do que as crianças que sofreram maus-tratos apenas entre os 5 e os 9 anos.

A forma específica de maus-tratos também respondia pelo tipo de perturbação posterior. Por exemplo, crianças que sofreram negligência física tinham resultados diferentes das que foram abusadas fisicamente. Além disso, os níveis de cortisol, o hormônio de "luta ou fuga" que é secretado em resposta a uma ameaça, eram anormalmente altos nos casos em que as crianças sofriam maus-tratos como negligência, ao passo que os níveis de cortisol eram anormalmente baixos caso elas tivessem sofrido apenas abusos físicos ocasionais. Outros estudos sugerem que, caso os cérebros dessas crianças tivessem sido testados, anormalidades em eletroquímica e estrutura aumentariam em gravidade quanto mais cedo os maus-tratos tivessem ocorrido.

Nossos primeiros seis anos de vida representam papel fundamental na formação de quem somos como adultos, tanto física quanto psicologicamente.

Nossa evolução emocional é semelhante a subir os galhos de uma árvore.

A árvore da saúde emocional

Nossa evolução emocional é semelhante a subir os galhos de uma árvore. A cada etapa, dependendo do tipo de cuidados que recebemos, seguimos para um galho diferente. Se considerarmos o topo da árvore como a saúde emocional, o perigo é que privação ou maus-tratos iniciais nos prendam num galho baixo. Isso faz florescerem novos ramos, que crescem ainda mais, até que acabamos nos encontrando na ponta de um galho autodestrutivo — talvez sejamos viciados em estímulos, viciados em trabalho com a capacidade de concentração de uma pulga, incapazes de ficar parados e com tendência a ser viciado em jogo, fazer sexo casual ou beber demais.

Vamos pensar em Simon, hoje na casa dos 50, que teve uma carreira de sucesso como banqueiro. Como nunca conseguiu entrar em sintonia com ele quando bebê, sua mãe não sabia reconhecer seus sinais — de que ele estava com fome, queria um carinho ou estava cansado. Isso o deixava permanentemente ansioso, sem nunca saber se estava seguro ou se sua fome seria satisfeita, basicamente precisando cuidar de si mesmo. Quando criança, as coisas não foram melhores. Ele foi deixado com uma sucessão de cuidadores que tinham pouco conhecimento ou interesse em seus desejos específicos. Aos 3 anos, ele era uma criança irrequieta que não se relacionava bem com outras. Seu pai agravou os problemas tornando-se cada vez mais furioso em relação ao comportamento de Simon, batendo nele, às vezes com um sapato. A crueldade dessas surras chegou ao ponto dos maus-tratos.

Quando Simon começou a frequentar a escola, ele sentia raiva e se isolava, o que o tornou impopular. Porém, tanto seu pai quanto sua mãe eram pessoas extremamente inteligentes e bem-sucedidas, e demonstrar a própria inteligência e seu sucesso se tornou a única forma de atrair a atenção dos dois. Simon logo aprendeu a usar sua esperteza para se sair bem na escola. Embora os professores reclamassem que ele se comportava mal dentro e fora da sala de aula, ficavam impressionados com suas notas nas provas. Ele se juntou a outros alunos que tinham o mesmo tipo de raiva ou insegurança. Alguns eram do tipo de criança que sofre bullying, outros, faziam bullying — como Simon. Como grupo, de um modo geral, não faziam nada de bom.

A essa altura, você já percebeu que Simon havia descido para um galho que compartilhava com outras crianças como ele, e isso só servia para piorar ainda mais seu comportamento. Mas é um mito que as companhias exercem influência importante sobre as crianças. Nossa primeira infância determina que tipo de amigos fazemos e isso, por sua vez, reforça quem somos.

Os pais de Simon estavam sempre sendo chamados pela direção da escola para ouvir sobre as últimas atrocidades — roubos, bullying e desobediência. Nada que ninguém dissesse fazia diferença e, como se pode imaginar, quando ele entrou na adolescência, ele e sua turma foram os primeiros a fumar, experimentar drogas e fazer sexo. No entanto, ele continuava a usar sua esperteza para se sair bem nas provas; assim, apesar da delinquência, ingressou em uma das melhores universidades. Ele havia se tornado um jovem adulto impaciente, sempre em busca da próxima distração. Ficar parado era seu pior pesadelo: ele imediatamente era dominado por um medo inominável, uma tristeza e uma raiva que o levavam de volta ao berço.

Quando se formou na universidade, ele já estava viciado em fumar ou usar heroína. Ele havia usado muita maconha, cocaína e anfetaminas, mas desde a primeira vez que fumou heroína, sentiu imediatamente que havia encontrado um novo lar, um lugar onde se sentia seguro. A heroína o levava para um mundo tranquilo e onírico. Ele conseguia ver a si mesmo vendo os outros, e chegou até a se tornar uma pessoa agradável, não era mais um valentão. Além de um pequeno grupo de amigos viciados, seu círculo social não sabia que ele estava usando a droga, que não afetou seu desempenho acadêmico.

Depois de obter um bom diploma, passou alguns anos sem fazer muita coisa até que conseguiu um emprego em um banco mercantil. Era espirituoso, inteligente e, desde que estivesse sob efeito da heroína, agradável. Embora as pessoas percebessem que ele às vezes parecia um pouco frenético (nos intervalos do uso da droga), isso era normal em seu mundo, um agitado departamento de negociações do banco. Ele se sentia confortável com o clima frenético que absorvia sua inquietude e ousadia.

Depois de vários relacionamentos amorosos infelizes, ele acabou se casando com uma mulher que também gostava de usar drogas, e os dois formaram uma família. Era um pai e marido carinhoso, ainda que errático e intempestivo. De vez em quando, deixava de usar drogas, mas nunca por mais de um ou dois anos. Depois dos 40, usava heroína continuamente, mas ainda assim tinha uma carreira bem-sucedida.

Quando Simon tinha 52 anos, o banco realizou um exame de drogas aleatório e, para surpresa de seus gestores, Simon foi exposto. Obrigado a se desligar do emprego, brincou que teria que começar uma nova profissão como escritor e que o título de seu primeiro livro seria *Loucas finanças*. (Infelizmente, nunca escreveu o livro. Poderia ter sido muito divertido.)

Simon tinha alguns elementos de saúde emocional, mais notadamente seu bom humor (que transmitia frequentemente com divertidos jogos de palavras) e, de vez em quando, uma grande capacidade de viver no presente. Mas a maior parte do tempo ele vivia a irrealidade das drogas, e isso significava que, pessoalmente, não tinha consciência do que os outros estavam sentindo e pensando, e isso distorcia seus relacionamentos. Também faltava a ele a percepção das raízes de seu próprio comportamento e, portanto, a capacidade de mudança.

Ainda que seja incomum em alguns de seus detalhes, a história de Simon não é uma jornada mais representativa rumo ao topo da árvore da saúde emocional do que qualquer outra. A história de todo mundo ilustra certas questões fundamentais. Pesquisas demonstraram que, como resultado de experiências vividas no útero e dali por diante, todos nós desenvolvemos padrões únicos de ondas cerebrais e níveis de substâncias químicas importantes em nossos sistemas nervosos. Eles são determinados principalmente pelo tipo de criação que tivemos. Tornam-se os níveis termostáticos eletroquímicos base aos quais nosso sistema retorna, com todas as outras coisas sendo iguais. Assim como o aquecimento central ou o sistema de ar-condicionado da sua casa liga ou desliga dependendo da temperatura, nossos cérebros ajustam os padrões de disparo neuronal e níveis químicos em resposta ao calor ou à frieza emocional do ambiente. As experiências iniciais determinam nossos níveis e padrões termostáticos basais únicos.

Seu termostato emocional

Quase desde o momento em que somos concebidos, o crescimento de nosso cérebro e os elementos químicos dentro dele são afetados pelo estado físico e emocional de nossa mãe. Por exemplo, se ela se estressar durante os últimos três meses da gravidez, secreta grandes quantidades de cortisol, o hormônio de "luta ou fuga". Esses altos níveis de cortisol são passados pelo cordão que liga a mãe ao feto. Anos mais tarde, aos 9 anos, seu filho terá duas vezes mais probabilidade de sofrer de agressividade e transtorno de déficit de atenção e hiperatividade (TDAH, um transtorno definido por sintomas que incluem baixa capacidade de concentração e tendência de correr de um lado para o outro).

Mesmo depois de levarmos em consideração como a criança vem a ser cuidada, sozinho, o alto nível de cortisol no feto faz com que a criança corra um risco maior. Mas os altos níveis do hormônio também podem dar origem a uma cadeia de consequências infelizes.

Bebês assim tendem a nascer irritáveis, agitados ou desajeitados, o que afeta potencialmente a forma como a mãe reage. Se ela for muito receptiva, os níveis de cortisol caem, e o bebê se torna normalmente calmo até o final do primeiro ano de vida. No caso de Simon, sua mãe não apenas se estressou durante a gravidez como, por conta de sua própria história, ela não conseguiu reagir às dificuldades dele depois do nascimento. Como ele já era agitado, era também vulnerável. A falta de receptividade e de cuidados subsequentes da parte dela fizeram com que ele se tornasse um menino de 3 anos muito agitado, irritado e triste. O comportamento abusivo do pai apenas serviu para piorar as coisas. Aos 6 anos, quando começou a ir à escola, seu termostato eletroquímico estava ajustado num nível base que era sinônimo de problemas.

Embora o reconhecimento dos pais dele pelas habilidades consequentes da inteligência tenha lhe permitido obter sucesso educacional e profissional, isso não eliminou sua sensação fundamental de desconforto. Ele embarcou no galho da delinquência ainda muito jovem e acabou seguindo rumo à intensa neblina das doses viciantes perto do final daquele galho.

Como veremos novamente ao longo deste livro, diferentes aspectos de quem somos são afetados pelo cuidado em diferentes idades do nosso desenvolvimento. O primeiro ano estabelece nossa mais profunda noção de quem somos, a força e a solidez da nossa identidade. Entre seis meses e 3 anos, a receptividade de nossos pais e a consistência dos cuidados que recebemos afetam o quanto somos emocionalmente seguros em relacionamentos. Entre os 3 e os 6 anos, a forma como somos recompensados e punidos e a forma como nossos pais nos passam seus valores (seja nos coagindo a adotá-los ou nos deixando sentir que estamos optando por adotá-los) determina nossos níveis básicos de motivação e consciência, expressas em nossas carreiras. Tudo isso quer dizer que, aos 6 anos, já somos imensamente influenciados pela nossa criação (de fato, aos 3 anos, as diferenças de capacidade mental entre as classes sociais já foram criadas) e isso afeta o tipo de amigos a que somos atraídos, que tipo de hobbies adotamos e a nossa atitude em relação aos professores e à escola. Logo começamos a ser classificados pelo nosso mundo social como "brilhante", "alegre" ou "temperamental", dependendo das experiências que tivemos na primeira infância. E essas classificações rapidamente se transformam em profecias autorrealizáveis.

É claro que não está tudo pronto e acabado aos 6 anos de idade. O que acontece depois disso pode afetar radicalmente os galhos para os quais avançamos, para o bem e para o mal. Abusos graves ou um tipo radicalmente melhor de criação (como pode acontecer se os pais se separam e um padrasto carinhoso e amoroso assume o lugar de um pai abusivo) podem alterar completamente o caminho tomado. Infelizmente, na maior parte dos casos, isso não acontece. Todos os pais variam até certo ponto na forma como reagem aos filhos em diferentes estágios — alguns preferem bebês a crianças pequenas, outros apenas gostam realmente de crianças com mais de 3 anos, e isso produz resultados variáveis. Mas se você tem pais afáveis desde o começo, eles tendem a continuar assim. O mesmo ocorre se seus pais são o oposto. É por isso que nos é tão difícil escalar pelos galhos baixos do vício, pela sensação de vazio e desespero em que estamos sujeitos a nos prender e voltar para o tronco da árvore para começar a subir. Nossos primeiros anos podem nos mandar em direções infelizes, e na ausência de um mapa emocional alternativo, nós simplesmente nos apegamos ao que é familiar.

A analogia dos galhos mostra por que é tão difícil mudar, algo fundamental para a saúde emocional. A partir do nascimento, nosso QI e as características da nossa personalidade (por exemplo, ser tímido ou agressivo) normalmente não se alteram muito. Quando chegamos aos 30 anos, nossa tendência a problemas emocionais comuns, como depressão ou ansiedade, está bem estabelecida. Se você já sofreu de algum desses problemas a essa altura, provavelmente voltará a sofrer. Nossa principal ferramenta para mudarmos para melhor é a percepção, principalmente sobre a influência do passado sobre nosso presente.

Os primeiros anos são tão influentes porque são um período extenso durante o qual dependemos de outros para sobreviver — por um período muito mais longo do que qualquer outra espécie do reino animal. Para sobreviver, fazemos o máximo para manter nossos pais, ou quem quer que esteja cuidando de nós, contentes. Quando pequenos, sentimos amor incondicional por eles e nos preocupamos muito com a felicidade deles. A tática mais óbvia é a da imitação. Todos gostamos quando os outros parecem concordar conosco e nos acompanham naquilo que preferimos. Se nossos cuidadores são alegres ou melancólicos, espelhamos tal atitude, que passa a parecer normal.

Também absorvemos suas habilidades e atitudes para termos uma sensação de controle, segurança e identidade. Para nos harmonizarmos e competirmos com irmãos e outras crianças, escolhemos o caminho com menor resistência ao adotarmos características de nossos pais. No nível mais básico, nos identificamos com nossos pais para sabermos quem ser. Nos sentimos mais seguros com o que é familiar, mesmo que o familiar consista em maus-tratos.

Como já temos tendência a ser de determinada maneira, somos estereotipados na mesma linha. Depois de sermos colocados na caixa, torna-se ainda mais difícil para nós ou para quem está ao nosso redor pensar em nosso caráter de qualquer outra maneira — uma profecia autorrealizável. Os padrões de sermos brilhantes ou alegres ou temperamentais se tornam muito arraigados.

Durante a adolescência, começamos a formar relacionamentos românticos, experimentando diferentes tipos de parceiros sexuais.

Começamos a formar as redes sociais que acabarão sendo expressas em nossas carreiras profissionais. Seja deixando a escola ainda jovens e começando a trabalhar, seja prosseguindo com os estudos, cada caminho leva a uma especialização que é ainda mais reduzida por nossa escolha de profissão ou graduação universitária. O tempo todo, estamos constantemente tomando decisões baseadas na história da nossa família original, o que restringe nossas alternativas e enraíza ainda mais os padrões.

Entre os 20 e os 30 anos, a consolidação enrijece. É provável que escolhamos um companheiro fortemente influenciados pelo modelo de nosso pai, no caso das mulheres, e nossa mãe, no caso dos homens. O resultado é uma vida familiar em que revivemos cenas do drama da nossa família original com extrema precisão, incorporando detalhes de nosso parceiro (escolhido a dedo, lembre-se, por sua semelhança com nossos pais). Provavelmente seguiremos uma carreira que seja ou o reflexo do que nossos pais faziam ou uma reação a eles.

O quanto nossos pais eram ricos ou pobres e suas preferências culturais são fortes influências sobre os detalhes desses desenvolvimentos, como o tipo de estilo de vida que preferimos ou nosso gosto para comida, mas a riqueza ou a falta dela por si só não afeta o quanto somos emocionalmente saudáveis. Nosso gênero também produz um efeito, no mínimo porque nossos pais e a sociedade como um todo reagem tão fortemente a ele. Além disso, o tipo de sociedade em que estamos inseridos é uma influência poderosa. Dois exemplos impressionantes: um nigeriano tem seis vezes menos chance do que um norte-americano de sofrer de alguma doença mental, e uma criança cingapuriana tem dez vezes menos probabilidade de ser analfabeto do que uma criança britânica. No entanto, nenhuma dessas coisas é tão importante para a saúde emocional como os primeiros cuidados conosco.

O maior desafio é o fato de que o "você" que está lendo estas palavras e pensando sobre a sua infância está fazendo isso de acordo com formas de pensar e sentir que foram criadas por essa infância. Vou usar uma analogia simples: se você está usando um par de óculos com as lentes erradas, tudo o que você enxergar será distorcido, por mais que você force os olhos. Como diz o psicanalista britânico Ronald Laing: "Somos os véus que nos escondem de nós mesmos." Somos incrivelmente leais a esse véu, porque ele veio de nossos pais e, com frequência, dos avós e bisavós. Vamos pensar no seguinte exemplo.

Gerald foi criado numa grande família por pais socialmente inseguros. Eles inculcaram nele a importância da honestidade e da autenticidade e, no entanto, também o pressionavam disfarçadamente para ser um menino agradável, obediente e com mobilidade para crescer e ser bem-sucedido socialmente. Ele desenvolveu uma persona falsa, uma máscara por trás da qual escondia as verdadeiras emoções quando estava na companhia de outras pessoas. O detalhe perverso era que ele fingia ser de verdade, obedecendo à instrução dos pais para ser autêntico. Assim, dizia aos professores e chefes quando achava que eles estavam errados, embora tivesse sido melhor calar, ou dizia aos amigos quais eram seus defeitos sem pensar no que eles estavam preparados para ouvir. Fazendo isso, ele acreditava que estava sendo autêntico, enquanto que, na verdade, estava apenas correspondendo às crenças dos pais dele, não a seus desejos verdadeiros ou às demandas das situações reais em que se encontrava. Ele seguia os pais ao confundir com autenticidade a expressão infalível de suas verdadeiras opiniões em todas as situações.

Isso era muito desconcertante para ele, que se casou com uma mulher que tinha o mesmo problema. Seus filhos receberam a mesma mensagem confusa. Por um lado, eles precisavam ser fiéis a eles mesmos; por outro, deviam se conformar com as convenções da classe social e do gênero a que pertenciam. Com o tempo, eles se casaram com parceiros que possuíam as mesmas características confusas, tiveram filhos e, pasmem, surgiu então uma quarta geração de pessoas que viviam a mesma luta em torno de exigências concorrentes e paradoxais: de serem ao mesmo tempo verdadeiras e falsas. Nesta geração, no entanto, uma delas conseguiu escapar da armadilha.

Uma das filhas mais novas, Emily, foi menos influenciada pela ideologia da família. Ela deixou a cidade natal depois de frequentar a universidade e conseguiu ver com impressionante clareza como a armadilha havia sido montada todos aqueles anos anteriores. Não apenas conseguiu compreender que sua tendência de agradar as pessoas era uma identidade falsa, como se deu conta de que a compulsão intergeracional da família por falar sinceramente era ao mesmo tempo autodestrutiva e uma forma de falsidade, porque não era algo que ela havia escolhido para si mesma, era simplesmente uma tradição familiar passada de geração a geração. Com essa percepção, ela foi em busca da construção de seu próprio eu, verdadeiramente autêntico, em vez de uma simulação, ainda que também desenvolvendo uma fachada própria que pudesse usar para lidar com situações que exigissem tato e diplomacia, ou mesmo mentiras. Ela se tornou muito mais saudável emocionalmente do que qualquer de seus irmãos ou ancestrais.

Um motivo importantíssimo para sua fuga do padrão histórico foi o acaso da ordem de nascimento de Emily (ela era a mais nova de cinco irmãos), uma grande influência sobre nós todos, junto com a criação que recebemos antes dos 6 anos. Quando crianças, precisamos encontrar formas de atrair o amor e os recursos de nossos pais. Procuramos por nichos que nos permitirão fazer isso, personas que nos destaquem.

Se somos primogênitos, temos a tendência de escolher o caminho de menor resistência, dando aos pais o que eles querem e ficando ao lado deles. Quando o próximo filho chega, o primogênito rapidamente declara seus direitos anteriores e faz o melhor para dominar, já que, como primogênitos, somos maiores e mais fortes, com tendência de sermos mais seguros de nós mesmos. No entanto, dependendo do sucesso que nossos irmãos menores têm em atrair a atenção, podemos nos sentir com raiva e vingativos por termos sido suplantados. Por trás do verniz da confiança, é provável que haja um medo considerável. Como filhos mais velhos, temos a probabilidade de ser presos a tarefas de cuidados com crianças e cobrados para agir como o irmão responsável. Isso nos torna menos dispostos a correr riscos, mais conservadores e ansiosos por conservar o status quo de antes do nascimento dos irmãos. Ser um aluno consciencioso na escola é um jeito simples de agradar aos pais, se isso for importante para eles.

Quando o caçula chega, muitos dos nichos mais óbvios para atrair o amor e o investimento dos pais já podem ter sido ocupados. Dadas as opções limitadas, como caçulas podemos descobrir que nossa melhor estratégia é inovar e rejeitar o status quo. Viajar pode parecer atraente, como uma forma de fugir de uma família que tem menos a oferecer, além de também oferecer ideias úteis sobre como ser diferente. Ao mesmo tempo, podemos descobrir que ser altruísta e apoiar os outros é uma forma de nos prevenirmos contra a hostilidade dos irmãos mais velhos e mais fortes. Assim, os caçulas podem ser bons em trabalhos de equipe.

Como a mais nova de cinco irmãos, Emily foi menos afetada pela cultura da família. Quando chegou à universidade, ela começou a questionar a confusa mistura familiar de falsidade e autenticidade. O véu que a escondia de si mesma era mais transparente do que o de seus ancestrais. Ela via através dele apenas parcialmente, só percebeu que ser falsa estava dificultando sua aproximação com qualquer pessoa, mas essa clareza também aumentou quando um professor estimulou seu interesse pela escritora Jane Austen. Ao ler seus livros, ricos em realismo, ironia e comentários sociais, Emily conseguiu conceituar a apresentação equivocada de sua família da escolha clara entre a franqueza (frequentemente resumida a dar a outras pessoas mais informações do que elas necessitavam) e a dissimulação. Em vez disso, ela começou a experimentar uma abordagem mais equilibrada, do tipo encontrado na forma como as pessoas emocionalmente saudáveis lidam com os outros.

Antes, quando se sentia insegura, ela podia travar ou em "transmitir" ou em "receber". No modo "transmitir", ela parecia alguém que tivesse usado cocaína, convencida de que apenas o que ela estava dizendo era interessante e correto. Fosse discutindo política ou as virtudes de um programa de TV, ela falava sem parar com inflexibilidade opinativa. Da mesma forma, no modo "receber", ela se tornava complacente e insinuante, concordando com opiniões com as quais na realidade divergia, um verdadeiro camaleão. Agora ela se tornara muito mais capaz de tolerar a noção de si e a forma como os outros veem a si mesmos, dependendo da pessoa e da situação. Ela conseguiu continuar sendo ela mesma e ser assertiva, mas ainda assim escutar os outros e ouvir o que eles estavam dizendo de verdade. Suas interações tinham muito mais nuances. Pouco a pouco, ela começou a encontrar amigos com quem podia falar abertamente sobre questões que a estivessem incomodando, em vez de sempre ser aquela que os outros usavam como caixa de ressonância. Se estava triste ou irritada, conseguia não disfarçar o sentimento, mas apenas quando fosse adequado. Porque, da mesma forma, ela se tornou muito mais perspicaz. Ela conseguia, como conseguem fazer as pessoas emocionalmente saudáveis, ficar quieta se dizer alguma coisa não fosse ter nenhuma utilidade. Com os amigos, deixou de ser rude. Com o chefe, tornou-se mais habilidosa, e ao mesmo tempo menos propensa a se subestimar por não afirmar seus direitos. Em vez de uma combinação autodestrutiva de falsidade e estupidez, ela se tornou muito mais sutil, capaz de ser ela mesma e de se adaptar à situação em que se encontrasse.

Um acidente também libertador foi o significado do gênero de Emily. Todos os pais regem ao gênero dos filhos, mas, no caso dos pais dela, eles haviam desejado especialmente uma menina, depois de terem tido quatro meninos. Esse status especial deu a ela uma liberdade incomum de desafiar a ordem estabelecida.

A história de Emily ilustra o quanto somos mais livres para seguir rumo à saúde emocional se as obstruções a ela são uma questão de cultura familiar e de eventos que ocorrem majoritariamente depois dos 6 anos. De tal forma que se você simplesmente herdou uma cultura familiar prejudicial, dependendo da sua capacidade de se sentir seguro para desafiar seus pais em sua mente, você possa questionar essa cultura. Como veremos nos capítulos seguintes, é um desafio maior tratar de experiências anteriores, porque, embora elas sejam vastas, temos poucas lembranças conscientes delas — mas ainda é possível.

No entanto, é possível pensar no gênero, na ordem do nascimento e nos imperativos mais ou menos explícitos da sua cultura familiar; esses fatores são identificáveis e podem ser tratados.

Exercício

Escreva uma lista das características que foram definidas para você. Então você pode começar a desafiá-las. Por exemplo, antes da próxima reunião de família, escreva as expectativas que seus pais e cada um de seus irmãos terão em relação a você. Você pode ser visto como o mandão ou o tímido ou o inteligente, a menininha meiga ou a moleca, o homem decidido ou o passivo. Em vez de se conformar com esses estereótipos, tente se comportar deliberadamente da forma oposta. No mínimo, essa experiência será divertida. Mas também pode lhe dar algumas percepções sobre as formas de comportamento que se tornaram rotina e que impedem a sua saúde emocional.

Não se curve ao determinismo genético

No caso de Emily, talvez o aspecto mais importante fosse sua recusa em aceitar a ideia de que os padrões de sua família fossem um destino genético imutável (algo em que seus parentes acreditavam). Acreditar em determinismo genético é ruim para a sua saúde emocional. Diversos estudos demonstram que — quer você seja a criança, o pai ou o professor — acreditar que uma característica é predeterminada pelos genes influencia a criança para o pior. Mas com as descobertas do Projeto Genoma Humano, pelo menos temos uma base científica sólida para desconsiderar essa ideologia restritiva e substituí-la por outra que maximizará nossa saúde emocional.

Não vou fingir que é fácil aprender a viver, a partir da observação da experiência alheia. No entanto, em certo sentido, foi para isso que fomos colocados neste planeta: existimos para trabalhar em prol de uma melhor saúde emocional, não para sermos mais felizes ou reproduzirmos nossos genes egoístas. Você pode decidir continuar vivendo do seu modo estabelecido, repetindo interminavelmente o passado, acreditando que você é imutável, sempre voltando (e sendo enfiado por outros) para dentro da sua caixa. Ou você pode desafiar seu status quo, e seus genes não farão quase nada para impedi-lo. Sim, a história da sua infância, dos seus amigos e da sua família, da sua sociedade, eles terão de ser constantemente confrontados. Mas o primeiro passo crítico rumo à saúde emocional é a convicção de que por meio da percepção é possível colonizar o passado no seu presente e começar a viver.

2. Vivendo no presente: Noção do *self*

Havia um menino que se saía muito bem na escola em todos os aspectos e que prosseguiu da mesma forma na universidade. No final do segundo ano, ele saiu de manhã para fazer uma prova e desapareceu. Foi encontrado 24 horas depois, vagando, completamente perdido. Ele não estava perdido apenas no sentido em que não sabia em que cidade estava. Ele estava perdido existencialmente, não sentia que existia. Tendo desenvolvido um eu falso extremamente sofisticado e bem-sucedido e vivido atrás dele por duas décadas, seu verdadeiro eu, o que experimentava suas necessidades reais, havia se tornado invisível para ele. O problema não era apenas que sua consciência de si mesmo no espaço social havia evaporado, mas o conhecimento de coisas simples como o nome que constava de sua certidão de nascimento. Ele também havia perdido de vista quem era como ser humano.

Ter uma identidade fraca — uma noção frágil do *self* — torna mais difícil viver diretamente, no momento presente. Se você não sabe quem é, torna-se alguém com tendência a fingir, a viver "como se" você fosse você e a desenvolver formas de lidar com o mundo que podem ser autodestrutivas. Você pode apelar para a simulação (algo às vezes confundido com animação), ou buscar reconhecimento e identidade por meio de realizações, para criar um significado, porque nada mais parece muito real ou verdadeiro. Da mesma forma, você pode ter a tendência a um estilo de vida hiperativo e agitado para se distrair do vazio e da solidão de existir por meio de um eu falso. Isso pode ser confundido com vivacidade. Você pode parecer externamente saudável do ponto de vista emocional, mas, na verdade, a sua identidade é uma ficção. Você não está vivendo no presente.

Identidade interior

Uma noção frágil do *self* evolui em relação à forma como nossas necessidades são atendidas por nossos cuidadores em nossos primeiros anos de vida. É claro que a identidade social tem origem na nacionalidade, na história familiar e no gênero de cada um. Mas o aspecto interior da identidade, por mais difícil que seja de acreditar, tem origem nos nossos primeiros relacionamentos. No primeiro ano de vida, nossa experiência é governada pelo físico e pelo primitivo, sem a mediação da linguagem. A existência pode ser simplesmente passar da fome para a saciedade, da sensação de frio para a sensação de aquecimento, da sensação de não ser amado para a sensação de ser amado. O amor é expresso pela satisfação das necessidades físicas. Neste estágio, há limites frágeis entre o que existe dentro e o que existe fora, entre o Eu e o Não eu. Quando sugamos uma mamadeira ou um peito, não fazemos ideia do que é o leite, é apenas uma experiência de precisar de algo e obtê-lo ou não. Somos completamente impotentes, incapazes até de nos sentarmos, que dirá usar palavras para comunicar nossos desejos. É uma situação vulnerável, potencialmente insuportável.

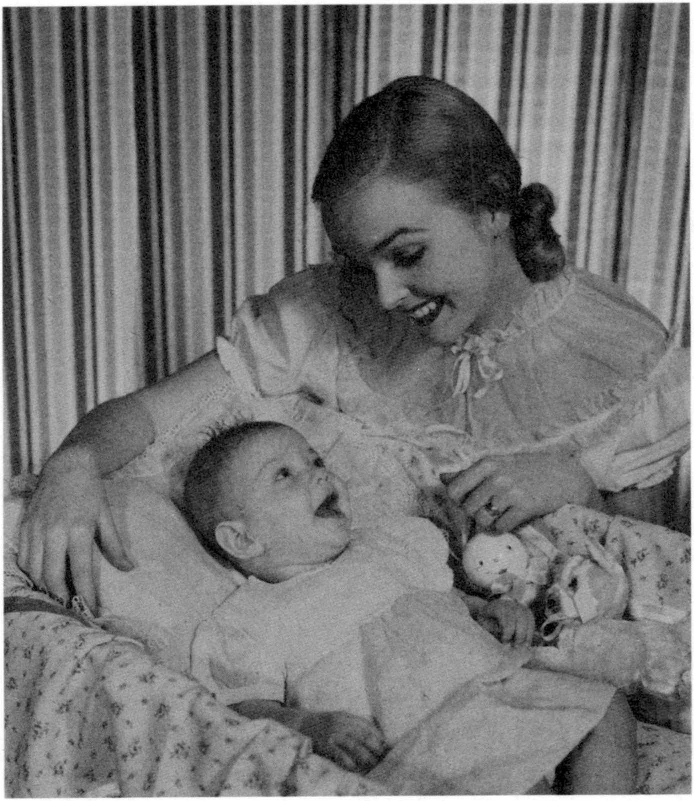

Um bebê existe apenas na medida em que tem suas sensações confirmadas pelo cuidado que recebe.

Dependemos inteiramente da empatia de nossos cuidadores para discernir nossas necessidades. Nesse sentido, o psicanalista inglês Donald Winnicott tinha razão quando escreveu que "não existem bebês de fato". Um bebê existe apenas na medida em que tem suas sensações confirmadas pelo cuidado que recebe. Se isso acontece milhares e milhares de vezes, de pequenas formas ao longo de muitos meses, ele gradualmente ganha uma noção consistente do que deseja, ancorada em sensações físicas, em oposição ao que seu cuidador quer que ele queira. Através dessas sensações, e dos sorrisos e arrulhos e outras formas de comunicação do cuidador, surge sua noção do *self*. O cuidador consegue realizar algumas brincadeiras com o bebê, minúsculas rotinas únicas aos dois, que um estranho jamais conseguiria realizar, por mais receptivo que fosse. Essa intimidade alegre também se torna a base da alegria, da autenticidade e da vivacidade. Uma base sólida assim é capaz de conferir saúde emocional diante de subsequentes adversidades assustadoras.

Vejamos o caso de George, um homem de 49 anos de Xangai, na China. Em 2004, durante o mês que passei nessa cidade entrevistando cerca de quarenta moradores, ele foi o único que conheci que efetivamente havia sido cuidado pela própria mãe nos primeiros anos de vida. Quase todo mundo havia sido cuidado por uma avó ou em creches para que as mulheres mais jovens e fortes, as mães, pudessem trabalhar. Mas, no caso de George, sua mãe deixou o emprego para estar presente o tempo todo e foi muito amorosa. Isso deu a ele uma forte noção do *self* que o deixou preparado para o que estava por vir.

O pai dele era alcoólatra. A mãe de George odiava seu pai pela negligência. A família era pobre até mesmo segundo os padrões das famílias pobres da China dos anos 1950, frequentemente passando fome. Na escola, George era alvo de comentários maliciosos por não ter sapatos para calçar nem levar almoço. Embora ela própria não tivesse recebido educação, sua mãe reforçou a importância do aprendizado, enquanto seu pai debochava do ensino.

Aos 19 anos, como resultado da Revolução Cultural, George foi mandado para longe de casa para ser trabalhador braçal. Ele precisava cavar diques de irrigação para recuperar a terra. Ele e outros trabalhadores deixavam seus dormitórios às seis da manhã e caminhavam por uma hora até chegar ao local de trabalho. Então, começavam a cavar e a carregar terra. Todos eram da cidade, desacostumados a esse tipo de esforço físico. A lama era tão escorregadia que as pessoas frequentemente trabalhavam de pés descalços, e no inverno o frio era congelante. Eles cavavam e carregavam terra até a hora do almoço, então voltavam ao trabalho, antes da caminhada de volta para casa aproximadamente às cinco da tarde.

Apesar de todo esse trabalho duro, George conseguiu aprender inglês com um rádio transistor (o Partido Comunista transmitia aulas da língua na época) e teve acesso a livros. Quando a Revolução Cultural terminou, ele foi para a universidade e desenvolveu uma carreira de sucesso nos negócios. Mas o impressionante é a forma como ele irradia saúde emocional.

Apesar dos 49 anos, ainda tem os cabelos totalmente pretos e uma pequena barriguinha. É um sujeito tremendamente envolvente, cordial, divertido e alegre. Os chineses têm a tendência de não demonstrar muitas emoções, preferindo revelar um temperamento constante e estável, enquanto George parece um italiano. Agita os braços ao dar opiniões, e sua voz às vezes fica mais aguda quando ele se diverte com alguma tolice do regime de Mao. Em outros momentos, seu rosto fica sombrio de desespero, e sua voz é tão triste como a de um tenor de ópera lamentando o suicídio da mulher amada. Ele tem uma visão extremamente independente da sociedade e da história chinesas e é um homem de opiniões maduras. Mas, quando o conheci, ele também tinha muita curiosidade sobre o modo como eu pensava e soube ser um bom ouvinte. Acima de tudo, ele foi uma ótima companhia à mesa, cheio de histórias divertidas e cordialidade, empolgado simplesmente por estar vivo. A noção que ele tem de si mesmo infundiu tudo isso e superou facilmente as dificuldades que teriam pesado demais sobre alguém que não tivesse tido uma mãe tão carinhosa.

Dissociação

A ausência do tipo de experiência de cuidados vivida por George provou resultar em uma noção diminuída do *self*. Já nos anos 1940, foi constatado que órfãos abrigados em instituições impessoais sofriam dano físico e mental, conhecido como "hospitalismo": letargia; incapacidade de desenvolver as mais básicas habilidades sociais e mentais; e extrema suscetibilidade a infecções e doenças. Os órfãos abrigados em orfanatos se saíam muito melhor quando se estimulava o relacionamento individual com os cuidadores. Não foi a provação sensorial dos berços das crianças, a falta de brinquedos ou de estímulos que prejudicou os bebês negligenciados, tampouco foi simplesmente a ausência da mãe. O mais crítico foi a falta de alguém que conhecesse o bebê intimamente e compreendesse suas necessidades, capacidades, idiossincrasias e vulnerabilidades específicas.

Pelo menos metade dos homens e um terço das mulheres criados em instituições têm o *self* esgotado, com a probabilidade aumentando quanto menor era a criança quando a criação deficiente foi vivida. Mas o mesmo ocorre com as crianças criadas por pais não afetivos em casa. O pesquisador John Ogawa e seus colegas norte-americanos acompanharam 168 crianças desde o nascimento até os 19 anos, medindo a qualidade do cuidado que elas receberam ao longo da infância para testar se maus-tratos nos primeiros anos estavam relacionados com problemas ao longo da vida. Os pais foram selecionados por terem alto risco de negligenciar ou abusar das crianças. Em especial, foi medido o impacto do cuidado parental inicial na dissociação.

A dissociação é um sinal claro de baixa noção do *self*, que ocasiona uma variedade de táticas mentais amnésicas para fugir de realidades dolorosas, como deixar de perceber coisas, se esquecer ou se recusar a reconhecê-las. Pessoas dissociadas também fogem do presente tornando-se distantemente absortas em um único aspecto no mundo interior ou exterior, por exemplo, olhando hipnoticamente para uma estampa de papel de parede ou desaparecendo em fantasias na companhia de outras pessoas. Pode haver despersonalização, na qual os acontecimentos são vividos como se por uma terceira pessoa, desconectado do próprio corpo ou dos próprios sentimentos. Em uma situação mais extrema, a pessoa dissociada pode desenvolver diferentes subpersonalidades para as quais foge. (Em alguns casos, a dissociação é precursora da esquizofrenia, um estado no qual a pessoa é capaz de realmente acreditar que é outra pessoa, como Jesus Cristo.)

Ogawa demonstrou que o nível em que o cuidado foi negligente ou abusivo antes dos 2 anos de idade permitia que se previsse se uma pessoa sofreria de dissociação dezessete anos mais tarde. Apesar do fato de que um imenso número de influências intervieram entre os primeiros cuidados e a medida da personalidade do jovem de 19 anos, seu impacto substancial foi provado. Aqueles da amostragem que foram maltratados apenas depois da primeira infância — fosse entre os 2 e os 4 anos ou da metade para o final da infância — tinham probabilidades significativamente menores de serem dissociados aos 19. Quanto mais cedo ocorriam os maus-tratos, maiores as probabilidades de sintomas. Fatores genéticos parecem não ter qualquer participação na questão. O temperamento dos bebês imediatamente depois do nascimento ou aos três meses não refletia necessariamente como eles viriam a ser.

Ogawa também demonstrou que se uma criança tivesse desenvolvido uma forte noção do *self* no começo, através de cuidado empático, ela era mais resiliente e tinha uma probabilidade muito menor de se tornar dissociada quando enfrentasse traumas mais tarde na vida. Incertos de quem são, os que têm uma frágil noção de *self* demandam traumas menores e menos frequentes para duvidarem das próprias realidades em comparação com os que têm uma noção de *self* mais forte. Como têm limites psíquicos frágeis, têm mais tendência à fuga dissociativa de realidades intoleráveis. Os mais fortes conseguem se manter eles mesmos, como George fez, contra tudo e contra todos. Isso é sugerido por outro estudo que mostrou que adultos de 22 anos tinham mais percepções sobre si mesmos e respeitavam mais a autonomia alheia quando suas mães haviam sido sensíveis ao cuidar deles durante os primeiros anos de vida.

É claro que maus-tratos severos depois da primeira infância, por si sós, aumentam imensamente o risco de uma fraca noção do *self*. Hoje já é fato aceito (com base em 23 estudos diferentes) que pelo menos metade das pessoas com esquizofrenia sofreu abuso na infância, principalmente sexual. Esse tipo de abuso na realidade impede o crescimento do cérebro, de modo que uma mulher que tenha sofrido abuso sexual quando menina tem 5% menos de uma parte-chave do cérebro (o hipocampo) do que outra mulher que não tenha sofrido abuso sexual. Quanto mais cedo o abuso e mais próximo o relacionamento familiar do abusador (membros da família são muito mais prejudiciais) e mais extrema a forma do abuso (penetração sendo a mais danosa), maior o número de subpersonalidades desenvolvidas e mais graves os sintomas de dano à noção do *self*. Enquanto melhores cuidados iniciais permitem que a vítima desenvolva alguns elementos de saúde emocional, esse abuso é uma grande causa independente de um *self* fraco.

Saúde emocional com um *self* fraco

O custo de uma fraca noção do *self* à saúde emocional é grande, embora, felizmente, não seja sempre permanente. Certa vez entrevistei um norte-americano chamado Henry, um homem cuja mãe acreditava ser a atual rainha da Inglaterra e que teve muita dificuldade de entrar em sintonia com ele quando bebê. A casa dele era um antro de loucura.

O tio dele morava com a família e acreditava que a Segunda Guerra Mundial ainda estava em curso, provavelmente sofrendo de transtorno de estresse pós-traumático do tempo em que serviu como soldado. Ele batia em Henry e esfregava sal nos olhos dele (também costumava atacar o carteiro asiático, acreditando se tratar de um soldado japonês). Quando Henry tinha apenas 5 anos, a ideia de brincadeira divertida do irmão mais velho era acordá-lo com uivos assustadores, usando um lençol branco com uma lanterna embaixo do queixo para criar uma iluminação espectral, interpretando o fantasma de um açougueiro louco, segurando um cutelo. Quando foi mandado para uma instituição infantil, Henry ficou aliviado por escapar da casa da família, apenas para sofrer um novo regime de extrema privação e abuso físico.

Finalmente de volta à casa da sua infância maluca no final da adolescência, Henry (compreensivelmente) começou a ter delírios. Várias vozes em sua cabeça tentavam convencê-lo de que ele devia comprar armas e matar o máximo de pessoas possível. Porém, de forma interessante, como tinha noção de *self* suficiente para resistir a essas ideias, fez um acordo consigo mesmo que ele esperava que fosse impedi-lo de cometer tal massacre: ele apenas obedeceria às vozes se ganhasse na loteria estadual. Infelizmente, para seu espanto, foi exatamente o que aconteceu. Mas mesmo ao receber vários milhares de dólares, ele não agiu. Em vez disso, criou outro obstáculo.

Na época, ele acreditava que uma estação de rádio era Deus falando com ele, ao passo que outra era Satã. Ele fez um pacto segundo o qual se a estação satânica tocasse a música "Another One Bites the Dust", ele cometeria os assassinatos. Quando isso aconteceu, sua resistência foi vencida. Com (assustadora) facilidade, ele comprou uma variedade de armas perigosas (simplesmente entrou numa loja de armas e disse "quero a arma que dispara o maior número de balas"). Mas o interessante foi que, mesmo assim, ele tinha suficiente noção do *self* para agir de forma relativamente saudável emocionalmente. Em vez de ir até o local movimentado mais próximo e sair atirando, ele passou pela casa dele, matando a mãe, o tio e o irmão. Embora assassinato nunca seja sinal de saúde emocional como tal, depois que se compreende todo o contexto, esses assassinatos específicos podem ser considerados uma demonstração de certa saúde emocional: a família dele fora a causa histórica e atual de sua loucura. Eles eram um alvo muito mais saudável, de um ponto de vista de saúde emocional, do que membros aleatórios do público.

O que mais me marcou quando conheci Henry foi o quanto ele parecia emocionalmente saudável. Nosso encontro ocorreu cerca de dez anos depois dos assassinatos, e ele havia recebido um incrível regime terapêutico, sem medicação psiquiátrica. Falou o tempo todo calma e claramente. Tinha boa percepção de tudo, e apesar do aspecto absolutamente sombrio do que tinha a dizer, ele contou tudo com bom humor na escolha das palavras e uma porção de humor negro. Por exemplo, quando me contou sobre a mudança para a instituição infantil, pintou um retrato hilário da forma como o diretor da instituição apresentou o local à assistente social como um ambiente amoroso e seguro, para se tornar um monstro assim que ela foi embora. Ele lidou comigo com habilidade, nunca se incomodando com minhas perguntas duras e insensíveis, sempre indicando gentilmente que me diria o que eu queria saber no devido tempo.

No entanto, um detalhe impressionante emergiu das minhas perguntas. A mãe não foi a única pessoa que cuidou dele quando bebê. Durante os períodos em que ela estava perturbada demais, uma parente carinhosa e saudável costumava assumir seus cuidados. Isso explicava a força de sua noção do *self*, que havia se provado suficiente para sobreviver aos ataques gigantescos à sua noção da realidade.

Não sei onde ele está hoje (a entrevista foi feita em 1988), mas apostaria na probabilidade de Henry ser um membro tremendamente construtivo de uma comunidade, repleto de saúde emocional e a espalhando ao redor. O motivo pelo qual a maioria das pessoas que suportaram essa mistura de privação infantil e abuso subsequente não acabam como Henry é que elas não tiveram a sorte que ele teve de ser parcialmente cuidado por uma pessoa amorosa e receptiva. É muito raro que isso aconteça nessas famílias. Se pais e parentes são profundamente perturbados, os maus-tratos tendem a ocorrer mais ou menos em todos os estágios. Como resultado disso, a pessoa não tem nada a que recorrer, nenhum fragmento de si próprio sobre o qual construir. Embora uma terapia muito intensa e hábil possa ajudar a pessoa a construir um pouco de *self* mais tarde na vida, infelizmente poucas pessoas podem bancar isso, e esse tipo de tratamento dificilmente está disponível em serviços de saúde mental convencionais (ou na prisão). No entanto, a terapia não é a única resposta para quem não tem noção suficiente do *self*.

Como tratar um *self* fraco

Quase qualquer campo de atuação — um projeto ou interesse que demande tempo e atenção — pode ser usado como forma de lidar com um *self* fraco, alguns mais propícios à saúde emocional do que outros. Infelizmente, os mais comuns são autodestrutivos ou inúteis. Lidar não é a mesma coisa que tratar.

O uso de drogas oferece uma forma de coerência própria e sensações corporais poderosas, tratando as insuficiências eletroquímicas originadas na primeira infância. As sensações que se seguem ao uso de heroína, por exemplo, podem ser muito semelhantes, em termos de experiência, às de sermos alimentados quando bebês. As drogas são mais confiáveis do que uma mãe não receptiva ou errática e temos alguma certeza de que elas sempre irão proporcionar sentimentos instantâneos e poderosos. Elas oferecem um motivo para viver, algo por que alguém com uma frágil noção do *self* está sempre procurando (algo evocado com muita força na canção "Heroin", do Velvet Underground). Há uma reconfortante e significativa narrativa que se dá em torno da obtenção das drogas e do dinheiro para pagar por elas (como evocada na canção "I'm Waiting for the Man", do mesmo Velvet Underground). Infelizmente, isso com frequência envolve criminalidade — prostituição no caso das moças e roubo no caso dos rapazes.

No entanto, trabalho duro e realizações excepcionais também podem proporcionar um *self* e ser tão viciantes quanto a heroína, produzindo mudanças eletroquímicas no corpo que compensam as carências da infância. Entrevistei cerca de cem pessoas famosas de uma ampla variedade de campos que estão claramente em busca do sucesso com o objetivo de compensar sentimentos de impotência e falta de valor que tiveram origem na primeira infância. O barato do alto nível de cortisol experimentado ao fazer grandes negócios financeiros ou se apresentar diante de grandes plateias pode proporcionar o mesmo sentimento fundamental de significado; assim como as enxurradas de químicos cerebrais, como a dopamina ou a oxitocina, que podem ser resultado de funcionários submissos que o reverenciem ou fãs que o adoram.

As pessoas bem-sucedidas frequentemente operam através de um sofisticado *self* falso. Isso cria uma trágica espiral de solidão. Quanto mais bem-sucedidos nos tornamos, mais o mundo se relaciona com a persona que criamos. No caso de artistas famosos de todos os tipos, quando estranhos apontam para eles na rua ou se aproximam e perguntam "Você é ___?", eles experimentam um impulso temporário da autoestima e uma lembrança de quem são. Muitos deles nunca deixam de se sentir tão perdidos como o homem com que este capítulo começou, que foi encontrado vagando pelas ruas sem saber o próprio nome. Tendo se sentido invisíveis quando bebês, essas pessoas recebem uma fugaz noção de identidade ao serem reconhecidas. Mas isso não conserta o problema básico, uma vez que elas se tornam cada vez mais passíveis de confundir a persona que criaram com o seu verdadeiro *self*. Pessoas mais próximas ou são alienadas — reclamando que o marido, a mulher ou o irmão famoso não é mais a pessoa que eles um dia conheceram — ou começam também a se relacionar com a persona famosa.

Algo muito parecido tende a acontecer também com importantes executivos de negócios, com a diferença de que são pessoas dentro da organização e da profissão que se relacionam com a persona. Como esses magnatas dos negócios tendem a ter muito pouca vida privada, com pouco tempo disponível para família e amigos, suas trocas sociais são restritas a pessoas sobre as quais eles exercem poder direto. Os funcionários agradam — e nunca desafiam — o *self* falso, e o *self* verdadeiro se perde.

Claro que esses fatores não se aplicam apenas aos excepcionalmente bem-sucedidos. Aqueles que têm dificuldades em relação ao próprio *self* são encontrados em todos os níveis da sociedade. Através de acidentes da nossa história, podemos não estar inclinados a usar o dinamismo ou a inteligência para compensar por nosso *self* frágil. Alguns podem simplesmente ter o que os psiquiatras chamam de transtornos de personalidade, tendendo a ser emocionalmente febris, autocentrados demais (narcisistas), com ideias desconexas. Essas características tendem a envenenar nossas vidas pessoais e profissionais.

Isso não quer dizer que uma pessoa com *self* frágil não tenha qualquer elemento de saúde emocional. Ela pode usar a alegria como forma de percorrer a superfície da vida, talvez sendo extremamente divertida ou criando personagens agradáveis por meio da mimetização ao socializar. Ela pode ter episódios ligeiramente maníacos de vivacidade — aquela pessoa do seu trabalho que às vezes se torna uma animada contribuinte em projetos que, em outras ocasiões, quase não fala. Esses indivíduos são capazes de ter uma impressionante percepção a respeito dos outros, porque os limites entre eles mesmos e os outros são mais frágeis, e eles veem os pensamentos inconscientes dos outros sem fazer esforço. Infelizmente, embora possam ter focos ocasionais de percepção sobre si mesmos, eles tendem a ter uma menor capacidade de ver internamente. De forma semelhante, eles têm dificuldade de atingir uma comunicação fluida, de mão dupla. Ou estão tentando marcar posição e ser o centro das atenções ou estão se escondendo e em silêncio.

Quase sempre temos alguns componentes saudáveis sobre os quais podemos nos desenvolver; alegria e vivacidade são bons pontos de partida para aqueles que têm o *self* frágil. No entanto, é importante diferenciar entre a alegria e a vivacidade genuínas e as versões falsificadas.

A atuação é um estado de faz de conta, em que uma pessoa gosta de tratar um cenário imaginário como real. É um dos mais recompensadores atributos humanos, normalmente envolvendo humor. Seja fazendo sotaques ou usando gírias ao contar histórias divertidas, seja permitindo-se exagerar a realidade para contar uma história surreal, nós gostamos muito disso. A atuação é mais evidente nas crianças pequenas, como sua maior fonte de prazer. Está bastante ligada à vivacidade, a uma sensação aumentada de se estar vivo, frequentemente acompanhada por um estado mental animado e ativo. Conforme passamos pela escola, a caminho da vida adulta, a capacidade de atuação pode ser redirecionada para maquinações maquiavélicas, e a vivacidade, substituída por fala e ação hiperativas e compulsivas. Para pessoas que trabalham em profissões que exigem a venda do *self* e de produtos, essas características podem ser úteis. O mesmo ocorre para qualquer um que trabalhe com arte ou em profissões, como o direito, que exijam encenação. Mas isso não pode ser confundido com a realidade.

Contudo, é possível, através do trabalho de alguém, obter uma medida de individualidade e, dessa forma, certa saúde emocional. A sequência de cinco livros sobre a vida ficcional de Patrick Melrose, do escritor inglês Edward St. Aubyn, é um modelo de como extrair literatura extraordinária de maus-tratos terríveis.

Melrose sofreu abuso do pai, homem sádico e com traços de psicopatia. St. Aubyn revelou que o pai ficcional foi baseado em seu próprio pai. Melrose luta em todos os livros com a falta de *self*. Na juventude, ele se torna um fanático usuário de drogas. Luta para se manter são, quando vozes começam a atormentá-lo mentalmente. Livre das drogas, ele passa para o álcool e não consegue resistir a infidelidades sexuais. No entanto, conforme os livros avançam, torna-se claro que, num nível fundamental, o drama de Melrose não é diferente do nosso próprio drama. Os livros levantam questões gerais de suma importância. Eles expõem a universalidade da tendência de reproduzirmos roboticamente ou reagirmos contrariamente aos cuidados que recebemos quando crianças. Seja de um lar rico ou de uma casa pobre, quer tenhamos sofrido terríveis maus-tratos ou apenas negligências corriqueiras, essa é a aflição humana. Num final triunfante para os livros, St. Aubyn oferece uma base muito emocionante, satisfatória e otimista para a busca da escolha independente.

O mais impressionante é que St. Aubyn discutiu o papel que o ato de escrever os livros representou em seu próprio desenvolvimento. Ainda que de forma alguma tenha sugerido que era uma terapia, ele fez um pacto faustiano consigo mesmo. Seu objetivo não era se livrar do peso da culpa ou transferir seus sentimentos ruins para o leitor, era simplesmente criar uma bela obra de arte que iluminasse a busca humana pela livre escolha.

Na visão dos críticos, ele conseguiu. Criou uma literatura de impressionante virtuosismo, extremamente bem escrita e cheia de percepções sobre a condição humana. Ao fazer isso, ele pode ter conseguido obter alguma noção de *self*, porque, assim como Melrose descobre que a percepção sobre suas motivações e suas ações imediatas é a única forma de evitar a repetição da história de sua infância infeliz, o mesmo serve para St. Aubyn. O problema da individualidade não se resolve, mas é consideravelmente reduzido.

Individualismo

A comunidade e o pertencimento a um grupo podem oferecer outro importante caminho potencial de mais saúde emocional para quem tem um *self* frágil. No entanto, em nações desenvolvidas, nossa tendência ao individualismo pode atrapalhar. Houve uma imensa mudança rumo ao individualismo desde a Segunda Guerra Mundial, que se acelerou nos últimos anos. Na sociedade individualista, a identidade é obtida primeiro através da educação e, subsequentemente, através da carreira. "O que você faz?" se torna o primeiro questionamento de um estranho. Por outro lado, na sociedade coletivista, a pergunta é "quem são seus pais?". No último caso, a identidade lhe é conferida pela virtude da sua família, a sua posição dentro dela, o seu gênero e as suposições da sua sociedade sobre como uma pessoa assim deveria ser.

Por exemplo, em 1978, passei três meses estudando os moradores de Borbon, vilarejo próximo a um rio na costa oeste do Equador, na América do Sul. Lá, quem você era dependia antes e acima de tudo do seu gênero.

Se fosse feminino, você provavelmente estaria tendo filhos já na adolescência. Cuidar da prole e prover o sustento se tornaria sua preocupação diária. Embora seu companheiro ou marido pudesse ficar por perto por um ou dois anos, ele provavelmente estaria viajando pelo rio, ou ainda mais longe, em busca de trabalho. Como não se podia contar com os homens para sustentar a família o tempo todo, as mulheres precisavam plantar e criar galinhas, além de agirem como matriarcas, frequentemente apoiadas por irmãs e pelas mães. Os homens também começavam a paternidade na adolescência, mas deles era esperado que tivessem filhos com várias mães distintas em diferentes vilarejos ao longo dos anos.

O potencial para a individualidade, do tipo que é uma aspiração tão importante para as pessoas das nações desenvolvidas, era consideravelmente menor em Borbon. Isso era em parte resultado das condições materiais. Havia diferenças mínimas de riqueza entre diferentes casas. O individualismo não era expresso pelas posses. Embora houvesse um gerador produzindo eletricidade para alguns lugares durante algumas horas do dia, nas casas dos moradores do vilarejo não havia nenhum dos eletrodomésticos que para nós são essenciais, como geladeiras, máquinas de lavar ou televisores. Além disso, qualquer um que quisesse desafiar as normas sociais receberia pouquíssima atenção. Uma mulher que começasse a se comportar como um homem, por exemplo, ignorando os filhos e viajando rio acima e abaixo em busca de trabalho, seria relegada ao ostracismo. O mesmo ocorreria com um homem que tentasse se comportar como mulher. Não que qualquer um que eu tenha conhecido demonstrasse qualquer sinal de estar tentando se rebelar dessa ou de outra maneira. Com pequenas variações, todos na comunidade recebiam apenas cuidados muito básicos nos primeiros anos de vida. No entanto, por conta do sistema social coletivista muito forte, isso não resultava em transtornos de personalidade mais tarde. A falta de pressão pelo individualismo reduziu o dano que tal negligência teria produzido em nações desenvolvidas.

De modo geral, nações emergentes ou em desenvolvimento ainda são fortemente coletivistas, enquanto os países europeus e de fala inglesa são os mais individualistas. Não é coincidência que os maiores índices de transtornos de personalidade ocorram nos ultraindividualistas Estados Unidos — números que muitas vezes ultrapassam os dos países asiáticos.

Para as pessoas com *self* frágil, ser um indivíduo é algo difícil. É preciso decidir quem ser e o que fazer, e quando não se tem um *self* definido, essa é uma demanda imensa, aumentando as probabilidades de uso de drogas ou álcool ou de um estilo de vida viciado em trabalho. Isso não significa que todas as sociedades coletivistas são melhores para a saúde emocional. Em nações desenvolvidas nos anos 1950, mulheres e pessoas de baixa renda eram forçadas a ficar em suas caixas, abafando suas criatividades e autenticidades. O coletivismo pode ser opressor, mas traz algumas lições úteis para a pessoa com *self* frágil que vive em um país desenvolvido.

Pertencer a grupos, talvez em torno de hobbies ou crenças éticas, promove saúde emocional. O simples fato de ser sócio de um clube de tênis ou de fazer aulas semanais de dança de salão é capaz de diminuir a sensação de falta de pertencimento e de vazio, assim como encontrar amigos num bar. Além disso, pessoas com práticas religiosas semanais têm um número significativamente menor de chances de sofrer de doenças mentais. Seja com ioga, meditação ou religião convencional, simplesmente fazer parte de uma comunidade com crenças éticas ou rituais compartilhados proporciona alguma identidade. Isso não é capaz de consertar uma profunda falta de noção de *self*, mas pode ajudar a criar uma noção de quem se é e de como viver a própria vida, oferecendo uma base para a vivacidade e a alegria, ajudando a promover a autenticidade.

Como vimos nos casos de Henry (que assassinou vários membros de sua família) e de Edward St. Aubyn (o escritor), um *self* frágil não garante falta de saúde emocional. Mesmo em situações bastante extremas, sempre existe a possibilidade de escolha.

O simples fato de ser sócio de um clube de tênis ou de fazer aulas semanais de dança de salão é capaz de diminuir a sensação de falta de pertencimento e de vazio.

3. Relacionamentos fluidos, de mão dupla

A peça de Jean-Paul Sartre *Entre quatro paredes* começa com apenas um personagem no palco, intrigado quanto ao lugar em que se encontra. Outros personagens chegam, igualmente desnorteados. Em cada um dos casos, torna-se claro que uma das pessoas ali incorpora tudo o que os demais desprezam. Afinal, um dos personagens se dá conta do que aconteceu: todos morreram e foram para o inferno. "O inferno são os outros", ele observa.

Não é assim para os emocionalmente saudáveis. Para eles, as outras pessoas estão entre suas maiores bênçãos. Como são capazes de ouvir e também expor os próprios pontos de vista, capazes de apresentar ao mundo uma fachada que reflete bastante seus verdadeiros sentimentos, e como normalmente não estão nem paranoicos nem deprimidos, os outros enriquecem suas vidas, e vice-versa, pessoal e profissionalmente. Infelizmente, para o resto de nós, os outros são um desafio à saúde emocional. Amigos nos decepcionam ou se tornam sugadores de nossos recursos, com suas intermináveis histórias de desgraças ou suas tendências a se repetirem. Colegas nos decepcionam, nos traem ou nos passam a perna, frustrando nossos planos. Amantes e cônjuges interferem, atormentam, privam ou esgotam. Filhos nos preocupam e incomodam. Irmãos e pais nos reprimem, ou fazem exigências imensas.

Padrões de apego

O período em que somos bebês, entre os seis meses e os 3 anos de idade, é de suma importância para determinar se os outros são o céu ou o inferno para nós. Se tivemos cuidadores não receptivos ou que fomos cuidados por uma pessoa diferente a cada dia, frequentemente temos o que se chama de padrão inseguro de apego. Isso vale para cerca de 30% das crianças e pelo menos 40% dos adultos. Se nos sentimos rejeitados durante nossos primeiros cuidados, tornamo-nos esquivos. Somos frequentemente pessoas irritadas, com tendência a rejeitar os outros, rejeitando primeiro porque esperamos ser rejeitados por amigos, professores, empregadores e parceiros. Por outro lado, se nos sentimos abandonados pelos cuidadores, fazemos a suposição de que isso sempre acontecerá nesses relacionamentos, o que se expressa em uma carência exacerbada, por vezes misturada com uma relutância desconcertante em se envolver quando o outro corresponde. Por fim, se os cuidados foram caóticos e absolutamente perturbadores (maus-tratos reais com abuso), levamos uma confusa mistura de rejeição, carência e desconexão para nossos relacionamentos.

Isso é bem ilustrado pelas histórias contrastantes de dois homens.

O primeiro é Dave, de cerca de 60 anos, um exemplo vibrante e encantador de saúde emocional. Dave é de origem asiática e foi criado no Quênia. Seu pai conseguiu construir um pequeno negócio de produção de frutas nos arredores de Nairóbi. Era um negócio arriscado, com as safras destruídas por secas e pragas em diversas ocasiões. Mas a inventividade de seu pai e sua capacidade constante de encontrar soluções causaram uma profunda impressão em Dave, servindo de inspiração para quando ele próprio enfrentou problemas em diversas ocasiões de sua vida. Ele se sentia amado pelo pai, um homem carinhoso e bem-humorado. A mãe de Dave cuidou dele quando criança com uma afeição apaixonada que transparecia na forma afetuosa e atenciosa como Dave se relacionou comigo, seis décadas depois: o tipo de mãe que qualquer um gostaria de ter como amiga.

O pai de Dave obteve sucesso suficiente para financiar os estudos do filho em Londres, onde ele acabou se formando contador. Muçulmanos, seus pais arranjaram para ele um casamento com uma mulher de boa família. Dave sempre quisera montar seu próprio negócio e conseguiu apoio para isso. Então veio o período mais difícil de sua vida. Quase destruído logo no começo por uma recessão, o negócio de Dave mal sobreviveu, mesmo com ele trabalhando sete dias por semana. Infelizmente, a família de sua esposa não ficou impressionada, fazendo pressão para que ela deixasse aquele "fracassado". Dave não conseguiu convencê-la do contrário. Considerando que, desde então, ele se tornou tremendamente bem-sucedido, poderíamos perdoá-lo se adotasse um tom triunfante ao me relatar esses acontecimentos. Em vez disso, ele baixou o olhar para a xícara de café à sua frente com uma expressão de tristeza no rosto ao relembrar aquele tempo. Ele implorou que ela perseverasse e, por alguns dias depois de fracassar, sentiu-se desesperado, mas encontrou conforto na mesquita local.

Depois do fim do casamento, seu negócio sobreviveu e floresceu. Ele ensina habilidades profissionais, com frequência a pessoas com renda relativamente baixa com esperanças de melhorar de vida. E Dave é apaixonado pelo valor social do que faz. Com outros empreendedores, você poderia ser perdoado por pensar que o negócio não passa de uma fachada, mas não com Dave. Ele se sente genuinamente empolgado com a ideia da educação e adora fazer as apresentações educacionais. Também fala de maneira apaixonada sobre tentar criar um ambiente de trabalho em que seus funcionários se sintam bem. Ele não é um gestor controlador, já que treinou outras pessoas para executarem muitos dos papéis executivos e verdadeiramente delega poder a eles. Mas o maior indicativo de que o dinheiro não é a ambição de Dave é a satisfação que ele sente ao ajudar a comunidade muçulmana da cidade britânica em que vive. Depois do divórcio, ele se deu conta de que não conhecia bem quase ninguém, então, fez questão de fazer trabalho comunitário, o que lhe rendeu relacionamentos confiáveis e importantes com seres humanos reais.

Dave fundou uma organização que apoia a comunidade muçulmana, comprando e construindo um clube local de futebol. Ele vê o projeto do clube como merecedor do comprometimento do próprio tempo e da própria energia, além do dinheiro. Embora tenha estabelecido para si mesmo a meta de criar uma empresa de 1 bilhão de libras, ele não parece obcecado com a ideia. Trabalha apenas entre quarenta e cinquenta horas por semana e pretende começar a diminuir esse tempo, passando a gestão para pessoas mais jovens e dedicando mais tempo ao trabalho junto à comunidade. Sempre que aumenta o próprio salário, um aumento proporcional correspondente é recebido por seus funcionários.

Alguns anos depois do fim de seu casamento, Dave casou novamente, e ele e a esposa adotaram filhos, de quem ele fala com carinho verdadeiro. É capaz de descrever suas vidas com tantos detalhes que fica claro que ele não está mentindo quando diz que se envolve na criação deles. Ele não parece ser motivado pelo consumo ostensivo — usando roupas semelhantes às de qualquer torcedor de futebol de classe média e dirigindo um carro simples.

Dinheiro não é a ambição de Dave. Ele fundou uma organização que apoia a comunidade muçulmana ao comprar um clube local de futebol amador.

O padrão seguro de apego, derivado da receptividade amorosa de seus pais, está no coração de Dave. Isso explica por que ele pensa o melhor das pessoas até elas lhe darem motivos para pensar diferente. Ele não espera que os outros o decepcionem ou o rejeitem. Se isso acontece, ele lamenta a perda e segue em frente. Se fica isolado, consegue se envolver com outras pessoas para formar relacionamentos duradouros e mutuamente valiosos. O inferno não são os outros, eles são a base do significado de sua vida e de sua saúde emocional. Saí do nosso encontro me sentindo otimista, alegre e animado.

Comparemos Dave com Archie, um *hooligan* condenado que entrevistei na cadeia. Ele foi capaz de cometer atos chocantes de violência, achando natural atirar dardos dentro de um bar lotado apenas para se divertir. Desde sua primeira infância, levava surras frequentes do pai, raramente com algum bom motivo ou com explicação adequada. A atitude de sua mãe em relação a ele era fria e neutra. Essa infância o deixou com graves dificuldades quando se trata de ser emocionalmente dependente de outras pessoas. Ele foi especialmente prejudicado em sua capacidade de formar relacionamentos satisfatórios com mulheres. Pelo fato de a escolha de palavras dele ser tão reveladora, apresento parte da transcrição da nossa entrevista.

> *P: Você teve algum relacionamento duradouro com mulheres?*
> A: Não, não. Nunca. Não consegui. Tive namoradas, tipo, não exatamente namoradas. Elas eram, como se diz, tipo "galinhas". Mulheres fáceis. Sempre que queria alguma assim, pegava. Nunca quis me apegar emocionalmente a alguém.

P: Como era com a sua esposa?

A: Eu simplesmente enchi o saco... vai parecer maluco, mas eu sentia mais prazer brigando do que, sabe, ficando com ela. De certa maneira, ela me atrapalhava porque interferia no que eu queria fazer. Em vez de gastar minha energia fazendo sexo com ela, eu guardava minha energia para brigar.

Archie era um homem que ousava não dar nem receber amor, que se sentia vazio e desesperadamente solitário. Ele chegava ao ponto de preferir violência a sexo como meio de obter contato emocional ou excitação nesse deserto psíquico. Anthony Storr, psicanalista inglês, fez uma descrição vívida do dilema enfrentado por indivíduos para quem o contato emocional é ao mesmo tempo uma ameaça e uma necessidade desesperada:

> Embora, como o restante de nós, eles desejem apaixonadamente o amor, têm uma desconfiança tão profunda de outros seres humanos que qualquer relação verdadeiramente íntima com outras pessoas lhes parece perigosa. [O esquizoide] assim enfrenta um dilema eterno. Negar a necessidade de amor é trancafiar a si mesmo em uma prisão de isolamento na qual ele provavelmente será dominado por uma sensação de futilidade estéril. Aceitar o amor é colocar a si mesmo em uma posição de dependência tão humilhante que ele se sente abominavelmente fraco em relação à pessoa que o está oferecendo.

O esquizoide reage com ódio maligno em relação aos que o ajudam e gostam dele, pois essas são as mesmas pessoas que mais ameaçam estourar a bolha da irrealidade e indiferença com a qual ele mantém os outros à distância. A hostilidade que a ameaça de contato emocional evoca normalmente é projetada justo sobre aquele que oferece solidariedade e carinho, que é então atacado. Se, como resultado disso, a outra pessoa se torna hostil, o esquizoide pode se esconder atrás do olhar vidrado seguro da frieza absoluta. Isso é preferível, porque ele teme que seja uma questão de aniquilar ou ser aniquilado, que sua própria existência está em jogo.

Archie tinha muitas características esquizoides.

Archie: Contato corporal: eu não gostava, não queria ela [a esposa] perto de mim... eu me sentia preso... disse a mim mesmo muito tempo atrás que não me envolveria emocionalmente, e eu acabava me envolvendo emocionalmente com ela e não gostava das sensações.

P: O que eram essas sensações?

A: Na verdade, era tudo muito estranho para mim, sabe, todo o funcionamento químico havia saído do controle, eu não estava acostumado com coisas daquele tipo, como ser acariciado. E eu nunca havia sido acariciado antes, sabe, esse tipo de coisa.

P: Sua mãe não fazia carinho em você?

A: Não, na verdade não... o único contato que eu tinha tido era físico e violento. Qualquer coisa meio carinhosa, até mesmo dançar com uma garota, não me agradava. Eu costumava ir a discotecas e não dançar. Ficava parado no bar bebendo e esperando uma briga começar. Eu não queria dançar, só "dançar" de um jeito diferente! Minha mulher me incomodava muito às vezes, mas em vez de bater nela como eu tinha vontade, saía e comprava uma briga.

P: Você saía e batia em outra pessoa?
A: Simplesmente escolhia alguém.

P: Você acha que era isso que acontecia antes também, em vez de bater no seu pai e, acho, na sua mãe — mais do que você se dá conta —, você batia em outras pessoas, frequentemente estranhos?
A: Acho que sim... você bateu num ponto interessante aí! Eu costumava descarregar minha raiva nela... não, eu dou risada, brinco sobre isso, mas é verdade, é. Preciso olhar para o lado engraçado das coisas, porque se olhar para o lado triste, provavelmente vou sentar e chorar.

P: Você acha que atacaria até a si mesmo?
A: Não, eu só choraria, e não pretendo fazer isso também.

Anthony Storr também propôs que esquizoides de classe média costumam canalizar seus sentimentos de impotência e destruição se tornando inegavelmente bem-sucedidos. O sucesso deles atrai para perto deles pessoas que normalmente seriam afastadas pela falta de calor pessoal e humanidade, diminuindo sua carga de solidão. No entanto, colegas de trabalho ou funcionários não oferecem intimidade de verdade.

É claro que esquizoides de classe média raramente usam luta pessoal em locais públicos como forma de obter "contato". Archie expressou sua mentalidade esquizoide através de sua escolha profissional, mas, como era um homem da classe trabalhadora sem educação formal, não podia usar poder, status ou riqueza para manipular ideias ou pessoas do jeito que ele gostaria, pelo menos não pessoas vivas.

Archie: Eu tinha um bom emprego. Era embalsamador. Era um ótimo emprego.

P: Você gostava de ser embalsamador?
A: Gostava, eu trabalhava sozinho.

P: O que um embalsamador faz?
A: O principal objetivo é preservar o corpo para a família vê-lo. A gente tira o sangue, substitui com fluido embalsamador, e passa um pouco de maquiagem no rosto. É ótimo, entende? Ninguém vem encher o saco, sabe? Eu achava isso ótimo. Perdi o maldito emprego por ter sido pego dirigindo bêbado. Me ferrei.

P: Esta é a sua ideia de um relacionamento ideal com outra pessoa? Que ela esteja morta?
A: É, não havia ninguém para se intrometer no que eu fazia, sabe? E ninguém para ficar dando ordens. Eu fazia o meu trabalho e pronto.

P: Você se sentia próximo desses corpos?
A: Na verdade, não. De certa forma, eu estava morto por dentro fazia alguns anos, e ver aqueles corpos não era nada, não

> significava nada para mim. Eu tenho um bom apelido. Os caras do Millwall [o time de futebol para o qual ele torcia, famoso nos anos 1980 pelos torcedores violentos, Archie entre eles] me chamavam de Dr. Morte. Combinava comigo.

Apesar de tudo, é possível perceber que Archie tinha alguns traços emocionalmente saudáveis. Fazia uso inspirado e divertido da linguagem, como quando fez um trocadilho dizendo que eu havia "batido" num ponto importante. No entanto, é fácil perceber o quanto seus primeiros anos de vida o puseram numa trajetória completamente diferente da de Dave na árvore da saúde emocional. No cerne de sua vida havia um vazio, criado pela falta de amor em sua primeira infância e quando ele era uma criança pequena, depois disso exacerbada pela crueldade do pai. Ele era tão inseguro em seu padrão de apego que não podia correr o risco de depender de ninguém, e a raiva que sentia em relação aos pais pela forma como eles o decepcionaram dominava sua vida. É impossível manter muita saúde emocional quando nos vemos com tanto medo e tão distanciados e agressivos em relação a outras pessoas. Porém, mesmo alguém tão frágil como Archie pode se tornar mais seguro. Uma relação estável com um terapeuta provou aumentar a segurança. E também há sempre o potencial oferecido pelas amizades íntimas... e pelos relacionamentos amorosos.

Relacionamentos românticos

A insegurança é apenas uma das muitas distorções do passado que trazemos para nossos relacionamentos e que desafiam a saúde emocional. No mínimo, podemos aprender maus hábitos dos nossos pais, como uma tendência a interromper os outros ou a ser tímido e reservado. Um cenário mais complexo se apresenta se os pais o colocavam repetidamente em situações em que tudo o que você fizesse estava errado, um "duplo vínculo". Você se aproxima da sua mãe para cumprimentá-la com um beijo, e ela recua. Então você recua, mas daí ela pergunta: "Você não vai dar um beijo na sua mãe?" Se você a beijar, está errado; se não a beijar, está errado. Esse tipo de comportamento de pessoas íntimas pode levá-lo à loucura, e há uma grande variedade desse tipo de comportamento que podemos ter aprendido. As mais evidentes expressões estão em nossas vidas românticas. Assim que embarcamos em relacionamentos sexuais, demonstramos um talento excepcional para criar problemas para nós mesmos.

Por exemplo, a separação dos pais pode fazer com que meninas sigam para galhos de relacionamentos complicados muito jovens. Em média, uma menina cujo pai deixou a casa do núcleo familiar antes do décimo aniversário entra na puberdade seis meses antes de uma menina que pertença a uma família intacta. A puberdade adiantada é um forte sinal de um começo de vida sexual precoce. Isso, por sua vez, não apenas prevê um risco aumentado de diversos problemas médicos, como câncer uterino e doenças sexualmente transmissíveis, como também prevê desempenho acadêmico inferior e maior probabilidade de problemas emocionais. Também representa risco de gravidez na adolescência e subsequentes relacionamentos instáveis com os homens. O passado no presente desse tipo de menina faz com que ela siga por um galho mais baixo na árvore da saúde emocional, a menos que ela consiga identificar que foi a partida do pai que a levou a usar sua maturidade precoce de modo a criar problemas para si mesma.

Como nosso relacionamento com o pai, no caso das meninas, e com a mãe, no caso dos meninos, tem uma influência muito grande na definição do que consideramos atraente em outras pessoas, temos a tendência lamentável de repetir o passado, escolhendo parceiros que replicam o comportamento de nossos pais. Desatar esse nó é um desafio importante para terapeutas de casal, que frequentemente focam no padrão de comunicação entre os parceiros, em vez de focar em suas histórias individuais. Se ocorre o divórcio ou a separação, estamos sujeitos a encontrar outra pessoa exatamente igual ao nosso primeiro parceiro. Esse é um dos motivos pelos quais divorciados que se casam novamente têm tanta probabilidade de se divorciarem de novo.

Para completar o quadro, existe uma forte tendência de pessoas sem saúde emocional se unirem. Se uma pessoa tem tendência à depressão e à ansiedade aos 16 anos, ela tem muito mais probabilidade de se divorciar mais tarde na vida. Como os deprimidos e ansiosos tendem a se casar uns com os outros, o problema é multiplicado por dois.

Como melhorar os seus relacionamentos

O fato de que os emocionalmente saudáveis tendem a se casar uns com os outros também não serve de consolo para a maioria de nós que se encontra mais ou menos nas situações complicadas descritas anteriormente. Mas é um bom lugar para se começar, para os que ainda não tiveram filhos: tentem, o máximo possível, se tornar emocionalmente saudáveis antes de começarem a se reproduzir. Além disso, se você também conseguir convencer alguém mais saudável emocionalmente a dividir a vida com você, melhor, você vai adquirir um pouco dessa saúde emocional.

Para os que já estão num relacionamento, têm filhos e sentem que a saúde emocional está prejudicada, há três passos vitais no caminho para relacionamentos mais fluidos e, consequentemente, para a saúde emocional:

1. *Olhe para a própria infância*

A primeira coisa a fazer é refletir longa e dedicadamente sobre como a sua própria infância influenciou a sua escolha de parceiro e compreender que isso não quer dizer que o seu parceiro divide todas as características da sua mãe ou do seu pai. O fato de o seu marido ter a mesma tendência que seu pai de perder a paciência se a louça não foi lavada, por exemplo, não deve impedir que você perceba que, ao contrário do seu pai, ele é um cozinheiro apaixonado que trata a tarefa de comprar comida com dedicação. Entre os dois, é preciso dar início a um diálogo sobre como seus passados estão colorindo o presente, para podar os arbustos psíquicos e construir relacionamentos que rompam com os padrões do passado.

2. *Aceite que a separação é o último recurso*

O segundo passo — por mais doloroso que possa ser — é aceitar que, agora que têm filhos, deve haver motivos muito convincentes para que vocês se separem ou se divorciem. Nos momentos mais sombrios, é claro que você vai levar em consideração a ideia de deixar seu parceiro. Em momentos de maior raiva, talvez vocês ameacem justamente isso. Mas antes de fazer isso é preciso compreender a escala dos danos que serão causados pelo resultado disso. Lembre-se de que experiências ruins na vida adulta são duas vezes mais prováveis se os pais da pessoa se separaram ou se divorciaram quando ela ainda é criança: de modo geral, a separação ou o divórcio serão prejudiciais aos seus filhos. Sob um olhar mais egoísta, os próprios divorciados frequentemente sofrem muito. Eles não apenas têm taxas muito mais altas de câncer, alcoolismo e doenças cardíacas, com menor expectativa de vida, como também têm uma tendência muito maior ao sofrimento. Isso foi provado consideravelmente por um estudo realizado com mais de 8 mil mães de crianças pequenas vivendo com seus parceiros. Foram medidos a qualidade do relacionamento da mulher com o parceiro e o fato de ela estar deprimida. Os níveis de depressão foram reavaliados doze meses mais tarde e a notícia impressionantemente ruim é que mais da metade das que haviam rompido com seus parceiros tinha maior probabilidade de estar mais deprimida depois do que na primeira entrevista. Isso prova que um número significativo de mães em relacionamentos ruins se sentem ainda pior quando o relacionamento termina. Lembra a piada no final do filme *Noivo neurótico, noiva nervosa,* de Woody Allen. Um homem vai ao terapeuta e diz: "Minha mulher acha que é uma galinha." O terapeuta pergunta: "Então por que você fica com ela?" E ele responde: "Eu preciso dos ovos." Nós parecemos precisar dos pontos fracos uns dos outros, inclusive as partes ruins.

3. Busque mais intimidade

O terceiro e mais importante passo rumo à saúde emocional é buscar mais intimidade em sua vida — e não me refiro a "ter um caso". Embora um caso possa ser a solução para algumas pessoas; para a maioria, apenas piora as coisas. É importante compreender que a vida moderna esgota gravemente nossos relacionamentos. Estudos comparando pessoas dos anos 1950 e 1960 com os dias atuais demonstram que tendemos a ter muito mais amigos (acelerados por coisas como o Facebook, o e-mail e a internet), mas um número muito menor de relacionamentos íntimos. Sim, um terapeuta pode ser parte dessa resposta, e um terapeuta de casal talvez também seja necessário (certifique-se de que seja alguém que esteja disposto a se focar primariamente nas histórias da sua infância, em vez de ficar corrigindo a sua argumentação). Mas o ainda mais importante talvez seja recuperar a rede de pessoas íntimas a que você pode ter pertencido na escola ou na universidade, mas que a vida acabou por dispersar.

Os relacionamentos, especialmente aqueles divertidos e próximos, são fundamentais para a saúde emocional, e vice-versa. É uma via de mão dupla. Descobrir o seu caminho de volta do galho do isolamento para o tronco principal da árvore e dali para a frente e para cima rumo a algo mais alegre e satisfatório pode envolver refazer seus passos até velhos amigos, bem como ver o potencial de todos ao seu redor, incluindo estranhos. Isso frequentemente envolve separar o sexo da amizade. A vida moderna nos dá a ilusão de que o sexo é uma mercadoria, algo capaz de aliviar a solidão. Mas, como viciados em sexo podem confirmar, essa equação é falsa.

Um número significativo de mães em relacionamentos ruins se sente ainda pior quando eles acabam.

Em 2004, entrevistei uma mulher casada de 20 e poucos anos. Ela tinha um marido maravilhoso, a quem era fanaticamente infiel. Ela tinha um filho encantador, que era cuidado por uma babá. Durante nossas entrevistas, ela fez várias tentativas de me convencer a dormir com ela. Ficou perfeitamente claro que ela estava confundindo a união de nossos corpos com uma sensação de proximidade emocional. Compulsivamente promíscua, quanto mais homens ela levava para cama, mais desesperada ela se sentia, já que a proximidade física apenas a deixava mais isolada emocionalmente. A história dela acaba sendo edificante, no entanto, porque ela acabou percebendo como seus primeiros anos de vida a deixaram se sentindo não amada e que o sexo jamais iria resolver esse problema. Agora, ela é capaz de valorizar o fato de ter o marido e o filho e perceber que realmente precisava de relacionamentos emocionalmente saudáveis que lhe dessem amparo real — alegria em vez de romance, e intimidade duradoura em vez de proximidade física.

Seja no trabalho ou em casa, se os relacionamentos são uma fonte de dor e frustração, você precisa olhar para dentro de si mesmo. Você provavelmente não pode mudar o tipo de pessoa que seu parceiro é, mas depois que identificar seus próprios padrões de relacionamento, poderá mudar a si mesmo. O inferno não precisa ser os outros, se você conseguir compreender a si mesmo. Para os emocionalmente saudáveis, os outros são o paraíso.

4. Autenticidade em nossas carreiras

A maioria das pessoas emocionalmente saudáveis não tem carreiras de muito sucesso ou exaustivas. Não são viciadas em trabalho. Em grande parte dos casos, elas apenas têm empregos, sequer têm carreiras, e trabalham para viver em vez de viver para trabalhar. Ganham o suficiente para atender às suas necessidades reais — alimentação e moradia. Podem considerar seus trabalhos desafiadores e absorventes, socialmente divertidos e enriquecedores, prazerosos e recompensadores. No entanto, não há nenhum grande desejo de crescer na hierarquia e ganhar mais ou ter mais poder: são pessoas felizes com seus empregos como, digamos, caixas de lojas, bibliotecárias ou professoras primárias.

Antes disso, na escola, esses indivíduos não aprendiam para ganhar elogios e, no longo prazo, uma renda mais alta. Eles viam a formação como um meio de adquirir habilidades e conhecimento, o que lhes interessava e beneficiava. Não era uma forma de vencer os outros, provar superioridade ou lhes proporcionar riqueza, poder ou status. Isso permitiu que se mantivessem autênticos na formação e na carreira. Uma vez que esses domínios — a formação e a carreira — tomam tanto das nossas vidas, a forma como as abordamos é parte vital de sermos autênticos.

Muita gente busca constantemente notas melhores durante os anos de formação, por melhor que se saiam. Depois disso, no

Quando se trata de realizações no local de trabalho, os emocionalmente saudáveis têm um conceito bem desenvolvido do que é suficiente.

trabalho, nunca ganham ou conquistam status suficientes. Não é o que acontece com os emocionalmente saudáveis. Quando se trata de realizações, eles têm um conceito bem desenvolvido do que é suficiente. Profissionalmente, são pessoas saciáveis. Não ficam se comparando com outras pessoas nem sentem a necessidade de acompanhar o sistema.

Autenticidade em nossas carreiras

O tipo de carreira que essas pessoas "autênticas" têm, como as dos exemplos dados acima, pode inicialmente parecer chato. Embora eles sejam estatisticamente incomuns como pessoas, suas conquistas mensuráveis com frequência não são nada excepcionais. Alguns possuem grandes talentos, mas relutam em comprometer toda a sua vida a eles. Geraldine, que hoje tem 28 anos, é um excelente exemplo desse tipo. Ela é uma das pessoas mais emocionalmente saudáveis que já conheci. Sua história ilumina de forma brilhante as causas das atitudes saudáveis em relação às carreiras.

Na escola, ela se saía bem, embora não sentisse vontade de se esforçar muito. Ela descreve as próprias notas como "decentes", suficientes para que entrasse na boa universidade que queria. Embora diga que pudesse ter tirado "notas fantásticas" se tivesse se "esforçado muito", ela diz que ficava "feliz como estava me saindo". Sua irmã mais nova foi mais acadêmica, porque era "mais crânio", e agora possui uma bem-sucedida empresa de desenvolvimento de software. Geraldine não demonstra sinais de competitividade com a irmã. Isso se deve em parte porque Geraldine era a irmã atlética, uma bailarina extremamente talentosa. Cada filha foi atrás do próprio nicho, evitando a rivalidade.

Ela levou a dança a sério e acabou se tornando uma das melhores bailarinas de seu país. Ela adorava o balé desde muito pequena. Dos 11 anos de idade em diante, ela acordava às cinco e meia todas as manhãs para atravessar a cidade e participar de um programa especial de duas horas de treinamento antes de ir para a escola. Não se lembra de algum dia ter precisado fazer algum esforço para ir ensaiar. Ela simplesmente adorava fazer aquilo. Gostava de ser boa naquilo e de se sair bem nas competições. Isso é muito diferente da maioria dos prodígios — grande parte foi submetida à imensa pressão dos pais desde muito pequenos.

Conforme Geraldine foi ficando mais velha, passou de vencer competições locais a se sair bem em eventos regionais e acabou sendo considerada uma das melhores dançarinas de sua idade em todo o país. No principal evento de sua juventude, aos 17 anos, ficou em 13º lugar do país por suas habilidades particulares. Ela sabia que sempre havia garotas melhores do que ela, mas diz: “Eu estava muito feliz com aquilo. Não havia chance de eu ser a melhor de todas. Chegar lá era meu símbolo de sucesso.” Embora pudesse ter ido para uma grande escola de balé e, de lá, se tornado membro de uma companhia de balé, ela decidiu ir para a universidade, onde descobriu os garotos e a bebida. Não que tenha pirado, só que, depois de se dedicar à dança na adolescência, ela achou que precisava relaxar mais, ciente de que era um pouco tímida e tinha pouca confiança social. A universidade logo pôs um fim a isso.

Academicamente, ela se limitou a estudar o que a interessava e a tirar notas boas o bastante para manter opções futuras em aberto.

Depois disso, percebendo que gostaria de seguir carreira na dança, formou-se professora e montou um estúdio. Até hoje, ela adora a sensação do movimento e de se perder na música, e ainda dança sozinha por prazer. Seu estúdio é um sucesso, mas ela não tem ambições comerciais grandiosas para ele. As pessoas frequentemente lhe perguntam se ela vai abrir uma cadeia de estúdios de dança. Ela explica que tudo o que quer fazer é pagar a hipoteca da casa e, talvez, um dia, comprar suas próprias instalações profissionais, em vez de alugar, como faz hoje. Grávida do marido com quem está casada há três anos, espera voltar ao trabalho por dois ou três dias por semana quando o bebê estiver com um ano de idade, enquanto uma assistente em quem ela confia administra o estúdio.

Geraldine é despretensiosa e amigável. O fato de ter o corpo magro e um rosto cativantemente bonito se torna incidental pelo seu jeito de ser. Sendo modesta com seu charme em vez de aberta e provocativamente sexual, não estimula que homens se relacionem com ela apenas como um objeto do desejo e não provoca a inveja de outras mulheres. Sua beleza vem em parte da impressão tranquila, autoconfiante e atenciosa que cria ao seu redor. Prefere roupas de bom gosto e discretas, embora haja elementos divertidos em seu guarda-roupa, como as botas de caubói prateadas e um chamativo macacão cor de laranja. Ninguém se sente ameaçado por ela, embora seja uma pessoa claramente determinada e capaz. Ela é alegre e ri ao lembrar da própria infância. Não tem o costume de pensar no passado.

Tem um amplo círculo de amigos, alguns de infância (ela voltou para a região onde foi criada, morando perto dos pais). No entanto, tem cinco amigas íntimas sobre quem diz: "Eu posso ligar e contar

A devoção de Geraldine à dança veio do prazer.

qualquer coisa a elas. Se eu precisasse de um grande favor, elas fariam tudo o que estivesse ao alcance para me ajudar." Intimidade com amigas assim é uma base sólida de saúde emocional.

O pai dela conseguiu chegar ao topo da pequena empresa em que trabalhava. Foi um pai "gentil". Ela tem uma boa lembrança do cheiro dos cabelos dele quando ela se segurava neles ao ser colocada em seus ombros para brincar de cavalinho. A mãe dela, enfermeira, também era muito afetuosa.

A mãe de Geraldine abriu mão da carreira durante os primeiros anos de vida das filhas e lhes dava muito carinho — era "muito física". A mãe dos primos dela era menos carinhosa, e quando eles iam brincar, ganhavam mais carinho da mãe de Geraldine do que da própria mãe.

Seus pais faziam sacrifícios. Durante um período de pouco dinheiro, os dois se tornaram vegetarianos para que pudessem dar carne às filhas. Eles discutiam às vezes — Geraldine se lembra de ficar sentada na parte de cima da escada ouvindo uma briga —, mas na maior parte do tempo o relacionamento era harmonioso. O marido de Geraldine comentou sobre o quanto ela é incomumente próxima do pai. Ela é muito envolvida na vida dos pais até hoje, e eles, na dela. Junto com a sogra, eles irão ajudar a cuidar dos netos quando Geraldine voltar ao trabalho.

Perguntada sobre qual ambição seu pai tinha em relação a ela, Geraldine responde que era "ser feliz". A maioria dos pais diz isso, mas o dela realmente colocava isso em prática. Na escola, ela nunca era pressionada, embora precisasse ficar no quarto caso enrolasse para fazer o dever de casa. Não havia uma pressão imensa para tirar boas notas, em parte porque ela sempre se saía razoavelmente bem de qualquer maneira, sem necessidade de se rebelar contra a autoridade. Sendo uma criança segura e tranquila, ela se envolvia com o mundo e era receptiva e capaz de aprender, quando se dedicava. Lembra de ter apanhado duas vezes da mãe por malcriação, ocasiões de que se lembra por terem sido eventos isolados. Geraldine não era uma criança desobediente ou problemática, mas, de qualquer maneira, seus pais não eram afeitos a punições físicas.

O mais notável de tudo, em termos de saúde emocional, é o fato de que ela era aquela coisa extremamente rara, da realizadora excepcional que não foi induzida a isso pelos pais. Sua devoção à dança veio do prazer. A mãe a estimulava a ir ao estúdio, mas quando alguém sugeriu que ela fosse todos os dias antes da escola, os pais ficaram um pouco em dúvida. Embora ela levasse a dança a sério, num nível muito alto, o fato de que não era uma compulsão é demonstrado pela tranquilidade com que ela desistiu da dança quando foi para a universidade. Geraldine é aquele tipo de pessoa excepcional, alguém que se manteve autêntica ao longo de sua formação e em sua carreira.

Os cuidados iniciais de alta qualidade recebidos por Geraldine proporcionaram as bases para suas autenticidades e aspirações quando ela foi para a escola e continuaram depois disso. Como vimos nos dois últimos capítulos, sentir-se receptivamente amado quando bebê e criança pequena estimula a identidade e relações fluidas, de mão dupla. Geraldine não buscava prêmios incríveis para se motivar. Em vez disso, ela tinha ideias claras do que gostava e do que seria sucesso suficiente. Na escola, conseguiria tirar as melhores notas, se quisesse. Preferiu não fazer isso. Poderia ter sido uma superbailarina. Hoje, poderia expandir os negócios e ganhar muito mais dinheiro, mas ela prefere pôr a vida familiar em primeiro lugar. Seus primeiros anos de vida foram a base para essa saciedade, mas sua saúde emocional atual também é resultado dos valores que os pais passaram para ela e, mais importante do que isso, da forma como esses valores foram transmitidos.

Valores identificados

Valores são as regras que usamos para decidir o que é certo e o que é errado, bom e mau, real e verdadeiro. Eles são transmitidos através de gerações, não pelos genes, mas pelos padrões de cuidados. Por exemplo, pais que roubam tendem a ter filhos que fazem o mesmo ou que acreditam que roubar seja aceitável ou mesmo admirável. No entanto, nem todos os filhos de pais que roubam fazem o mesmo, e irmãos diferem no quanto imitam os pais neste e em todos os outros aspectos. Ocorre também que muitos filhos de pais honestos são desonestos. Portanto, a passagem dos valores dos pais para os filhos não é simplesmente uma questão de imitação ou aprendizado, um download de software moral; é também algo muito afetado pela maneira como os pais comunicam os valores como parte do relacionamento com a criança.

Embora a consciência tenha suas bases na identidade e na segurança emocional, a forma como os pais recompensam e punem os filhos, desde aproximadamente os 3 anos, também é extremamente importante. Nessa idade, as crianças sabem falar e compreendem a linguagem, de modo cada vez mais sofisticado. As palavras dos pais, assim como o exemplo que eles dão, oferecem indicações claras do que eles consideram desejável. Se a mensagem explícita for "é bom roubar", isso terá um impacto. Mas o segredo é a reação ao comportamento da criança. Um menino cujo pai defende o roubo, mas fica furioso quando a criança é apanhada, não será um ladrão bem-sucedido. Se o que você quer é um ladrão astuto, será muito mais eficiente demonstrar solidariedade e dar dicas quando a criança for apanhada: "Foi azar, querido, da próxima vez que for roubar algo de uma loja, é muito importante garantir que não haja câmeras de segurança voltadas para você quando esconder o produto dentro do casaco." É claro que a maioria dos pais não está tentando criar ladrões. O que eu quero dizer é, simplesmente, que nada é mais eficiente para que um filho adote seus valores do que a mistura de conselhos consistentes e pragmáticos com carinho autêntico.

Os pais normalmente estimulam os filhos a cumprirem a lei, serem civilizados e sociáveis e a se saírem bem na escola. Todos esses objetivos têm uma probabilidade muito maior de serem atingidos se a criança realmente escolher por si mesma. Isso é conhecido como "identificação". A criança escuta e observa o pai e, se é bem criada, adota a característica desejada por vontade própria. Esta escolha, a decisão de adotar um conselho dos pais, começa com o pai e a mãe vendo as coisas a partir do ponto de vista da criança. É natural que crianças sejam assertivas, até mesmo exigentes, ao lidarem com o mundo. Voltando ao roubo, por exemplo, nós não nascemos com o conhecimento de propriedade. Quando junto de outras crianças, um bebê com 18 meses de vida tentará tirar o brinquedo de outra criança oito vezes por hora. Um ano mais tarde, uma criança pequena tentará tirar brinquedos dos outros três vezes no mesmo período.

A evolução desse comportamento para o cidadão cumpridor das leis depende de como os adultos cuidando dessa criança reagem em diferentes idades.

Se, logo no começo, a reação for de raiva ou de força, a criança pequena não aprende nada. Ela mal sabe falar ou compreender o que lhe é dito. Explicar um princípio como "é errado pegar brinquedos dos outros" é desperdício de saliva. No entanto, a partir dos 3 anos, as palavras podem ser usadas para ajudar a criança a ver as consequências de tomar os brinquedos dos outros. Por exemplo, a criança pode ser estimulada a pensar em como ela se sente quando seus próprios brinquedos são tirados dela. Então você pode perguntar como a outra criança se sente quando é ela quem pega os brinquedos, estimulando uma atenção à experiência do outro baseada na própria experiência. Durante grande parte do tempo antes dos 5 anos, embora esse tipo de argumentação possa ajudar, a criança precisará ser observada de perto por um adulto receptivo, e quando parecer que ela está prestes a fazer algo indesejável, o adulto pode intervir rapidamente para evitar atrocidades, talvez chamando gentilmente a atenção para o princípio por trás da situação. Em torno dos 5 anos, a criança deve ter uma boa ideia do que é desejado, e se o cuidado com ela foi calmo, explicativo e afetuoso, ela adotará por vontade própria o comportamento desejado: identificação.

Esse foi claramente o caso de Geraldine. Os pais não impuseram seus valores a ela, eles a estimularam a decidir por si mesma o que fazia. Embora certamente apreciassem o fato de que ela gostava de dançar, não mexeram seus pauzinhos. Um sinal claro de que a identificação ocorreu é quando alguém faz coisas ao longo da vida porque gosta delas, como hobbies. Na melhor das hipóteses, a pessoa consegue construir uma carreira ou encontrar um emprego com base nesses interesses.

Valores introjetados

Infelizmente, o tipo de cuidado que resulta em identificação é uma exceção à regra. É muito mais comum que pais preocupados e exaustos simplesmente gritem ordens mais ou menos irritadas. É claro que todos os pais fazem isso às vezes, mas, em alguns casos, é contínuo.

Isso costuma acontecer a partir de uma idade em que a criança é pequena demais para compreender um princípio e, portanto, incapaz de decidir por vontade própria fazer o que os pais desejam. A criança continua sendo "desobediente", embora, antes dos 3 anos, esteja apenas fazendo o que lhe parece natural, em vez de efetivamente ser desafiadora. Interpretando de maneira equivocada a reação da criança como sendo voluntariosa ou um ato de "malcriação", muitos pais recorrem à coerção física — tirando brinquedos da criança, por exemplo — e à violência verbal e física. Isso frequentemente é feito de modo irregular, com o pai ou a mãe ficando furioso — desabafando com gritos e batendo, expressando as emoções, em vez de ensinar uma lição.

Com frequência, os pais estão infelizes e usam o ato de "disciplinar" a criança como forma de expressar o próprio sofrimento, uma lixeira de emoções indesejadas. Se os pais estão com raiva ou tristes, criar essas emoções na criança pode fazer com que eles se sintam melhor. A infelicidade dos pais também pode levá-los à inconsistência na disciplina dos filhos, de modo que comportamentos que foram punidos anteriormente estejam sujeitos a ser ignorados desta vez, ou, ainda pior, recompensados. Os pais frequentemente se veem presos à "repreensão", realizando um comentário contínuo de imposições negativas: "Não pegue esse brinquedo, largue isso. Eu disse para largar, eu já disse, largue isso." Pode então surgir um círculo vicioso: o comportamento da criança fica ainda pior, e isso, por sua vez, provoca reações cada vez mais punitivas dos pais.

Aos 5 anos, a criança típica está sendo mais ou menos forçada a obedecer através de punições severas. Em um extremo, isso pode significar ser obrigado a sentar em um "banquinho do pensamento" ou ser mandado para o quarto. Em outro, surras regulares. Quando a escola entra em cena, crianças de classe média têm chances de descobrir que o amor dos pais está condicionado ao desempenho. Apenas se elas fizerem o que os pais querem será elogiada e amada. É verdade que a combinação de cuidados iniciais coercivos e essa pressão por desempenho poderão "funcionar", no sentido que resulta na criança demonstrar os traços desejados. Mas, se for assim, a criança não decidiu ser civilizada ou estudiosa, ela está fazendo isso por medo de receber uma punição dolorosa ou de perder o amor dos pais. Sim, a criança faz o dever de casa e diz "por favor" e "obrigado" quando deve. Mas isso é feito com uma emoção robótica e vazia e, não muito abaixo da superfície, normalmente há uma sensação triste e revoltada de ameaça, enquanto que, em outros casos, há uma desesperança indiferente e deprimida. Isso pode vir seguido de uma rebeldia dissimulada. O adolescente pode vir a fumar, fazer sexo e roubar escondido.

Essa forma de os pais passarem seus valores para as crianças é conhecida como "introjeção": a criança exibe os princípios e o comportamento desejado, mas sem verdadeiramente possuí-los, experimentando-os como algo imposto e sem significado. Por outro lado, a criança que se identificou com os valores compreende por que está tomando determinada atitude. A criança introjetada apenas age automaticamente.

Grandes realizadores

Um grande número de realizadores excepcionais introjetou, em vez de se identificar com, as aspirações dos pais. Pessoas que se identificam com valores não são compulsivas em sua busca pelo sucesso, enquanto as que introjetam são. Muitas pessoas emocionalmente saudáveis poderiam estar entre as melhores de suas áreas, como a brilhante Geraldine, mas preferem não estar. Como regra geral, podemos dizer com segurança que, quando se é um grande realizador, é difícil ser emocionalmente saudável, ainda que não seja impossível. A compulsão, resultante de uma criação coerciva, parece algo quase essencial para se chegar ao topo. É o caso de Gloria, fundadora e presidente de uma empresa de 1 bilhão de dólares em um país do Extremo Oriente. Aparentemente uma história de sucesso que veio da pobreza à riqueza, sua história na verdade é repleta de solidão, tristeza e falta de saúde emocional.

Quando a conheci, fiquei imediatamente impressionado com sua modéstia. Ela entrou discretamente na sala como um gato, tímida e bastante britânica em seu desejo de não se impor a mim. Com cerca de 40 anos, tinha a pele extremamente clara e poucas rugas no rosto. Sua imagem me lembrou a de uma menina estudiosa de 10 anos de idade que passa o tempo livre entre Harry Potter e o dever de casa de ciências — isolada, o tipo de menina que não se preocupa com o fato de não ter amigos e tem ainda menos interesse em meninos. Embora suas roupas parecessem caras, tive a impressão de que ela não se importava nem um pouco com elas, como se alguém as estivesse escolhido para ela (o que depois soube ser verdade — ela contrata alguém para isso). Ela passava uma curiosa sensação de vazio e invisibilidade, como se fosse um holograma.

Gloria nasceu em uma pequena cidade na Índia. Seu pai morreu quando ela tinha apenas 7 anos e, como não podia ter mais filhos, sua mãe depositou todas as aspirações na filha. Onde ela morava, não havia água corrente ou eletricidade. A pobreza vinha sendo passada de geração em geração havia milênios. No entanto, sua mãe estava confiante que Gloria seria diferente. Ela foi doutrinada com autoaperfeiçoamento desde o começo. Com rara demonstração de emoção, descreveu o medo que sentia de fracassar com a mãe. Se tivesse um desempenho menos do que perfeito na escola ou demonstrasse qualquer sinal de independência, apanhava com um cinto na parte de trás das pernas. Pior ainda era a frieza. Uma expressão gelada no rosto da mãe acompanhou a frase "O que aconteceu com os outros 7%?" quando Gloria contou ter acertado 93% de uma prova de matemática.

Ao mesmo tempo, ela era constantemente cobrada para que cuidasse de si mesma e não dependesse da mãe. Além de se dedicar a aprender a ler e escrever, Gloria precisou ganhar dinheiro desde os 8 anos. Trabalhou em fábricas e fazendas, mas logo se deu conta

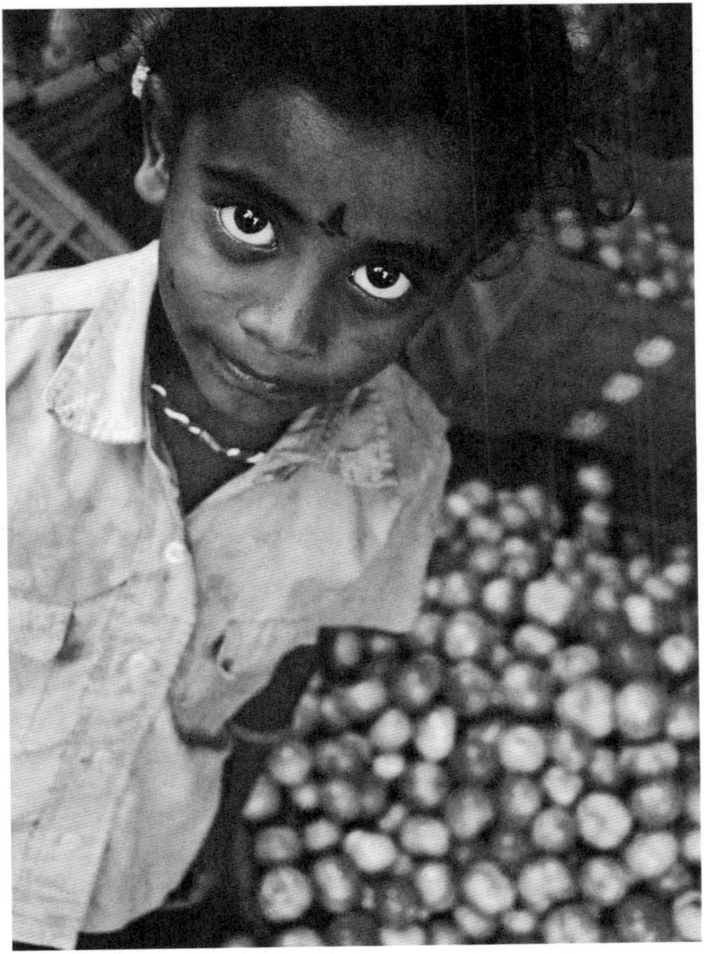

Nascida em uma cidade pequena na Índia, além de ter precisado aprender a ler e escrever, Gloria precisou ganhar dinheiro desde os 8 anos de idade.

de que ganharia mais vendendo pães e frutas do mercado. Achava isso fácil: era uma simples questão de convencer as pessoas a fazer negócio com ela. Mentalmente, chamava isso de "negócios", e decidiu bem cedo que seria esta a forma com que fugiria da pobreza quando fosse mais velha. Um de seus professores lhe disse que "conhecimento é poder", e ela imediatamente reconheceu que a educação seria o caminho para ter sucesso nos negócios e se tornou uma aluna exemplar. Aos 15 anos, induzida pela mãe, pegou dinheiro emprestado para ir até uma cidade grande e dormiu no chão de um edifício onde alguns operários de sua cidade estavam vivendo. Apareceu sem marcar horário em todas as melhores escolas para se oferecer como aluna e, finalmente, depois de ser rejeitada pela maioria, um diretor permitiu que ela fizesse um teste. Ela se saiu tão bem que foi aceita imediatamente. Conseguiu um emprego para pagar as mensalidades e trabalhava 18 horas por dia, entre a escola e o emprego. Na universidade, estudou biologia e, depois de passar alguns anos em uma grande multinacional, identificou o produto que viria a fazer dela uma bilionária.

Há algumas características que Gloria compartilha com outras pessoas com valores introjetados. Perder um dos pais antes dos 14 anos é algo extremamente comum entre grandes realizadores. Isso ocorreu com um em cada três membros de todo domínio profissional estudado, de primeiros-ministros britânicos a presidentes americanos, de empresários britânicos a poetas franceses. Quase todo ditador famoso que pudermos listar teve essa experiência. Enquanto a maioria das pessoas que sofre essa perda simplesmente se deprime ou se torna antissocial com a infelicidade, no caso de uma reduzida parcela, se o relacionamento anterior com o pai morto e o cuidado recebido depois dessa morte são corretos, a perda parece inspirar uma determinação inabalável de arrancar o destino da fatalidade. No caso de Gloria, ela era próxima do pai e decidiu ainda muito pequena que deveria usar o sucesso para se tornar o mais invulnerável possível ao acaso. É claro que também foi vital que sua mãe a tenha coagido a ser uma aluna perfeita.

Mas Gloria pagou um preço muito alto em sua vida emocional por essa introjeção. Ela nunca se casou nem teve relações sexuais. Sua mãe morreu quando ela tinha cerca de 20 anos, e ela parece ter sofrido um esgotamento nervoso na época. Vagando desamparada e confusa, entrou em uma igreja e disse receber "Jesus no coração". Quando perguntei se era feliz, ela disse que isso não era importante para ela. Manteve a expressão impassível. Não disse se sentir triste ou solitária. Explicou que tinha Jesus. Na verdade, fiquei sabendo por meio de pessoas que a conhecem bem (embora não sejam próximas, ela às vezes se abriu com algumas delas) que Gloria vive uma vida isolada, viciada em trabalho, em torno de seus funcionários. Ela não tem relacionamentos verdadeiramente íntimos. Embora seja entusiasmada com a ideia de aumentar ainda mais sua empresa, é alguém sem qualquer outro interesse além das visitas semanais à igreja.

É famosa pela frieza com que contrata e demite. Apesar da aparência banal, é uma implacável mulher de negócios que não vê problemas em comprar e vender empresas sem se importar com as consequências sociais. Os salários baixos que paga aos compatriotas das fábricas indianas onde terceiriza alguns de seus processos industriais não parecem incomodá-la. Ela não expressou qualquer preocupação quando falei sobre o assunto.

Sucesso

Os métodos coercivos usados pela mãe de Gloria fizeram com que ela introjetasse valores, tornando-se uma "máquina de sucesso". Questionada a respeito, ela não faz ideia de por que é importante seguir continuamente procurando tornar sua empresa maior, ela não tem o conceito de suficiente. Embora sua vida possa parecer uma história de triunfo da vontade sobre a adversidade, não é nada disso. Gloria foi programada pela mãe e fez poucas escolhas na vida. A morte do pai sem dúvida foi um fator importante na escala de seu sucesso, tornando-a muito mais determinada a vencer num mundo comercial em que impera o "salve-se quem puder". Mas isso não é algo sobre o que ela tenha qualquer percepção. Seu desejo de ser bem-sucedida é uma compulsão, movida pelo medo de se tornar vítima do destino e de outra perda trágica.

Muitas crianças das classes média e alta do mundo desenvolvido estão sujeitas a cuidado coercivo semelhante, resultando em valores introjetados. Isso é parte do motivo pelo qual muitos adultos dessas classes sociais têm se mostrado menos conscientes dos sentimentos dos outros, menos emocionalmente inteligentes do que adultos de origens menos privilegiadas. São pessoas que parecem robôs e frequentemente falam sobre si mesmas nesses termos quando estão sendo sinceras. Sentem que não podem se dar ao luxo de se preocupar com os outros, que devem colocar a si mesmas em primeiro lugar. Por terem se sentido negligenciadas e não amadas, não se solidarizam com mais ninguém. Nos casos extremos, isso assume a forma de psicopatia subclínica, criando uma pessoa fria e cruel, que é manipuladora e interessada apenas em atender aos próprios interesses. A maioria dos grandes realizadores é composta por pessoas de classes sociais mais altas. Isso pode ajudar a explicar por que altos executivos têm quatro vezes mais chances de serem psicopatas subclínicos.

É claro que a forma como isso se expressa deve ser adaptada à corporação em que você trabalha e ao país onde vive. Existem grandes evidências de que, nos Estados Unidos, pessoas desagradáveis acabam tendo salários mais altos do que pessoas amistosas. Essa descoberta pode parecer surpreendente — seria de pensar que as pessoas populares se sairiam melhor —, mas, nos Estados Unidos, empurrar os outros para fora do caminho ou pisar em pescoços para subir é quase essencial para o sucesso. Há também boas evidências de que o narcisismo cresce de maneira desenfreada entre grandes realizadores norte-americanos. O narcisismo completo é um estado grandioso de busca de atenção exclusiva a "mim". O indivíduo compensa sentimentos de falta de valor e invisibilidade exibindo o oposto. Um estudo norte-americano mediu o narcisismo em duzentas celebridades e em duzentos jovens adultos com MBA. Os resultados foram comparados com uma amostragem nacionalmente representativa usando o mesmo questionário. Como previsto, as celebridades eram significativamente mais narcisistas do que os jovens profissionais com MBA e a população em geral. Havia quatro tipos de celebridades incluídos na amostragem. Os mais narcisistas eram os que haviam se tornado famosos através de algum reality show da TV (esses indivíduos também demonstraram alto nível de "exploração" e "vaidade"). Em seguida, vieram os comediantes (com maiores níveis de "exibicionismo" e "superioridade"), então os atores e, finalmente, os músicos. Curiosamente, o narcisismo não apresentou relação com o tempo de fama de cada celebridade, sugerindo fortemente que a fama em si não os tornava narcisistas — eles já eram narcisistas antes disso. Jovens adultos com MBA foram escolhidos para comparação porque eram considerados inclinados ao narcisismo. Evidentemente, os profissionais com MBA — os líderes empresariais do futuro — eram significativamente mais narcisistas do que a população em geral.

A verdade é que as pessoas que chegam ao topo ou ganham fama nos Estados Unidos tendem a ser narcisistas. Mas isso é apenas a ponta do iceberg cultural. A maioria dos norte-americanos possui uma visão irrealmente positiva a respeito de si mesmos, acreditando serem muito melhor do que a média de diversas maneiras. De fato, a autovalorização pode ser necessária nos Estados Unidos. Os norte-americanos que fazem isso na verdade têm uma probabilidade menor de sofrer de doenças mentais do que os que não fazem. Pode ser simplesmente uma questão de adaptação para rebaixar os outros e exagerar a própria perfeição em uma sociedade tão competitiva. De modo relativamente bizarro, os pesquisadores caracterizam aqueles que fazem avaliações realistas de si mesmos como sofrendo de "realismo depressivo".

Mas essa versão da realidade social não é universal. Quem mora no Japão e na Ásia Oriental, longe de viver em uma bolha cor-de-rosa de delírios positivos, no melhor dos casos minimiza as próprias realizações. Na Escandinávia, as pessoas atravessam a rua para evitar parecerem superiores, com o objetivo de se nivelar com os outros. Por exemplo, três vezes menos suecos do que norte-americanos (15% contra 46%) estimam estar entre os melhores motoristas do país. Isso não quer dizer que cidadãos dessas nações menos autovalorizadas sejam ingênuos servis. Eles praticam autovalorização quando competem com outras pessoas para além de seus círculos sociais — concorrentes de negócios, por exemplo. Também não têm uma individualidade diminuída. A Dinamarca é considerada o sétimo país mais individualista do mundo, acima da maioria dos demais países da Europa Ocidental. No entanto, tem também a mais forte tradição de modéstia. A Dinamarca, e o restante da Escandinávia, tem a lei de Jante, que é um sistema de costumes culturais que diz "não pense que você é melhor do que ninguém". Embora seja amplamente tratada pelos dinamarqueses como piada, na prática eles aderem rigidamente à lei de Jante. É um protótipo cultural em pé de igualdade com seu oposto, o Sonho Americano.

Um estudo feito com universitários e adultos, dinamarqueses e norte-americanos, demonstrou que os dinamarqueses valorizam as coisas bem menos do que os norte-americanos. Na verdade, eles fazem um esforço imenso para minimizar as diferenças em capacidade. No entanto, têm também mentalidades mais independentes. Por exemplo, os universitários dinamarqueses têm uma probabilidade maior de pensar de maneira autônoma em relação às preferências dos pais. Isso reflete uma forma de criação e um sistema educacional que estimula a identificação, em vez da introjeção de valores.

É provável que as populações menos saudáveis emocionalmente sejam encontradas em países de fala inglesa como os Estados Unidos e a Grã-Bretanha — certamente, a prevalência de doenças mentais entre as populações desses países é duas vezes maior do que na Europa Ocidental continental, numa relação de 23% contra 11,5%.

Conquistar uma carreira emocionalmente saudável em lugares assim pode ser mais difícil. Mas, onde quer que você viva, o segredo para ter mais saúde emocional em sua carreira é compreender as motivações e os objetivos que você tem no local de trabalho.

Objetivos e motivações intrínsecos e extrínsecos

Aqueles que desde a infância se identificaram com os valores dos pais têm o que chamamos de objetivos e motivações intrínsecos. Eles fazem as coisas porque gostam. O estado mental deles durante atividades motivadas intrinsecamente é um fluxo, uma forte conexão e unidade com a atividade. Você se torna tão envolvido que se esquece de si mesmo, e depois parece que se passou mais tempo do que o esperado. Há uma sensação aumentada de realidade e uma liberdade especial.

Por outro lado, aqueles que têm valores introjetados, têm o que chamamos de objetivos e motivações "extrínsecos". Ao escolherem uma carreira e no trabalho eles buscam elogios e recompensas materiais para sentir que estão realizando as metas dos pais e, depois disso, dos professores e dos patrões. O fluxo é interrompido por uma preocupação predominante por atender a exigências externas. Com foco na recompensa, eles se tornam desconectados dos prazeres da atividade que a produz. Isso foi provado muitas vezes em estudos experimentais. Quando é oferecida uma recompensa pela realização de uma atividade que a princípio era intrinsecamente satisfatória, não há apenas uma queda mensurável de interesse e prazer no indivíduo que a está realizando, como também em sua motivação.

Por exemplo, em uma das experiências, dois grupos de estudantes receberam cubos de quebra-cabeça. Um dos grupos foi pago para brincar com os cubos; o outro, não. Os que foram pagos perderam interesse antes e pararam mais para ler revistas que haviam sido deixadas por perto. O dinheiro mudou o foco. Os voluntários que não foram pagos disseram que brincaram com os cubos porque era divertido ou porque eles haviam escolhido fazer isso. Para os estudantes que haviam sido pagos, o aspecto interessante, prazeroso e desafiador da atividade se perdeu. No contexto do trabalho, pessoas com motivações e objetivos intrínsecos demonstraram buscar realização intelectual, autoexpressão criativa e uma sensação de domínio na realização de tarefas. Os extrínsecos sempre buscam dinheiro e prestígio profissional.

É claro que existe uma importante ressalva que precisa ser feita sobre essas descobertas. Elas não se aplicam a situações em que a pessoa busca dinheiro ou status para sobreviver. Ninguém jamais ficou emocional ou mentalmente doente por tentar ganhar dinheiro suficiente para pagar por antibióticos que irão salvar a vida do filho doente ou para comprar comida para uma família com fome. O materialismo da sobrevivência é a norma para uma grande parte da população mundial, que vive na pobreza absoluta, e isso não faz mal. O corrosivo é o materialismo relativo, que surge apenas em pessoas comparativamente ricas, como Gloria, que tem dinheiro suficiente para alimentação, moradia e saúde, mas está presa em uma esteira hedônica, focada em ganhar mais dinheiro para financiar mais luxos, incapaz de compreender a ideia de "suficiente", e cujos valores introjetados as fazem estar sempre correndo atrás de sucesso, dinheiro e assim por diante.

Exercício

Em termos práticos, se você é uma dessas pessoas, há várias coisas que pode fazer para aumentar a sua saúde emocional em termos profissionais. O simples fato de ser um funcionário cujos corpo e mente foram contratados para realizar determinadas tarefas não exclui a motivação intrínseca.

Se fizer uma lista de todas as atividades que realiza em seu emprego, você vai descobrir que algumas fluem melhor do que outras. Planeje passar mais tempo dedicando-se a elas, se puder. É claro que você pode estar em um trabalho em que não há oportunidades para fluir de qualquer maneira. Se for assim, você precisa de uma nova carreira. No entanto, isso raramente se faz necessário. Depois que começamos a seguir o fluxo, é surpreendente como passamos a trabalhar com maior eficiência, assim como o trabalho se torna mais prazeroso. Isso pode lhe dar mais poder e, no fim, levar a melhores salários e opções.

Política corporativa

Uma parte fundamental de ser emocionalmente saudável no trabalho é se tornar adepto da política corporativa (escrevi bastante sobre isso em meu livro *Office Politics* [Política corporativa]). Essa habilidade ganhou uma má reputação. A maioria das pessoas a vê como um dispositivo indecente que os maquiavélicos corporativos usam para prejudicar outras pessoas — assumindo o crédito pelo trabalho de colegas ou transferindo a culpa dos próprios erros. Na verdade, a política corporativa é parte normal e inevitável da vida profissional cotidiana. É inevitável que seus interesses nem sempre coincidam com os interesses dos colegas ou dos concorrentes, e que para se conseguir o que se quer alguém precise sair prejudicado. A política corporativa é o que permite que isso aconteça. É necessário haver consciência do que os outros estão pensando e sentindo no presente momento e do que está em sua mente — ambos requisitos fundamentais da saúde emocional. Com essa consciência, você pode fazer planos para conseguir as coisas, quer isso signifique garantir que determinado trabalho seja bem-feito ou contribuindo para o bem maior da sua organização. (Ela pode, também, ajudá-lo a conseguir um aumento ou a sala com vista que você deseja.) Você também precisa aprender a fazer "network", outra palavrinha feia. Mas não há nada de mau em formar alianças com outras pessoas que pensam parecido conosco ou com aquelas cujos interesses coincidem com os nossos e cooperar com elas. Finalmente, você precisa pelo menos parecer sincero. As pessoas precisam ter a sensação de que podem confiar em você. Todas essas são características emocionalmente saudáveis.

É verdade que algumas das habilidades exigidas na política corporativa são mais naturais às pessoas com valores introjetados, uma vez que quem elas são foi definido externamente, desde a primeira infância. O "camaleonismo" é mais fácil se você olha para fora em busca de autodefinição, por exemplo, e é verdade que pessoas que sabem como e quando ser um camaleão são mais bem-sucedidas profissionalmente. Mas isso não significa que aqueles que se identificam com os pais não possam adquirir essas habilidades se decidirem fazê-lo, nem significa que a autenticidade precise ser sacrificada.

Para se sair bem na política corporativa, é preciso ter determinadas habilidades sociais, o que não significa ser dessa forma com todo mundo o tempo todo. Para ser um camaleão, você precisa descobrir quem a outra pessoa quer que você seja e então ser essa pessoa para ela.

Um gerente estava tendo muitos problemas com uma de suas chefes. Em vez de desafiá-la, ele se deu conta de que ela falava de um modo meio assertivo e era obcecada com horário. Quando adotou um modo de ser parecido e — espelhando-a — indicou sutilmente que também estava muito preocupado em garantir que os funcionários chegassem no horário, ela parou de incomodá-lo.

Para se sair muito bem na política corporativa, você precisa conseguir definir precisamente qual é a sua meta, elaborar um plano com o qual consiga convencer as pessoas relevantes sobre seu modo de pensar e então escolher exatamente o momento certo para usar as palavras e a maneira certa de se expressar. Quase nunca são necessários planos mirabolantes. Trata-se de compreender como conseguir o que se quer, em termos de autoapresentação e de desempenho. Sim, ajuda ser competente nas tarefas exigidas pelo trabalho e trabalhar duro, mas sem habilidades de política corporativa, você terá sorte se conseguir prosperar. Como a maioria dos empregos nas nações desenvolvidas são nas indústrias de serviços ou baseados em corporações, uma pessoa emocionalmente saudável naturalmente vai entender que saber como lidar com outras pessoas — que não é o mesmo que manipulá-las para explorá-las — é essencial à eficiência.

Você precisa desenvolver personas autênticas para sobreviver no local de trabalho, o que parece uma contradição em termos.

Todos desenvolvemos uma variedade de personas para lidar com os outros, em todas as situações, incluindo na vida familiar. No trabalho, uma pessoa emocionalmente saudável desenvolverá conscientemente máscaras diferentes para serem usadas para lidar com diferentes pessoas. Talvez você deteste um de seus chefes. A pessoa emocionalmente saudável se dará conta de que é preciso sorrir para esse chefe, às vezes até mesmo rir de suas piadas, disfarçando os sentimentos verdadeiros.

É claro que, no fim, todos precisamos passar algumas de nossas horas de trabalho realizando tarefas que não são prazerosas. A pessoa emocionalmente saudável descobre formas de passar menos tempo realizando essas tarefas. Usando uma combinação de percepção de nossas motivações e mais habilidades de política corporativa, todos temos em nossas mãos o poder de vencer o desafio de sermos mais saudáveis emocionalmente em nossas carreiras. Por trás de nossas personas autênticas, podemos manter nossos valores essenciais intactos.

5. Alegria e entusiasmo na criação dos filhos

Um pai está boiando de costas em uma piscina. Seu filho de 6 anos aparece repentinamente e o puxa mais para dentro d'água. O pai vai até o fundo da piscina, e o menino caminha em cima dele. Quando o pai ressurge na superfície, os dois dão gargalhadas. Essa é uma das brincadeiras deles. O menino também adora brincar de dar socos na barriga do pai com o máximo de força possível, mas só quando sabe que o pai está preparado para isso. Sua forma preferida de demonstrar afeto de manhã cedo é brincando de "pular na barriga do papai". Para quem vê de fora, parece estranho. Para o pai e o filho é extremamente divertido.

Uma mãe finge estar dormindo no chão. Sua filha pequena faz a mesma coisa a vários metros de distância. "Boa noite", diz a filha. "Durma com os anjos", responde a mãe. Depois de dez segundos, a menina diz "Bom dia". As duas repetem tudo várias vezes.

A maioria dos pais consegue relatar esse tipo de troca com relativa alegria na voz. O desafio de criar filhos é tornar o processo divertido assim pelo maior tempo possível. Isso não apenas estimula a saúde emocional na criança, como no pai ou na mãe também. Duas coisas podem atrapalhar.

A primeira — como ocorre com tudo — é o que trazemos da própria infância. Quer repitamos nossa experiência ou reajamos contra ela. Se tivemos uma experiência negativa, nenhuma das tendências

O menino adora brincar de dar socos no pai com o máximo de força que consegue... Para quem vê de fora, parece estranho; para o pai e o filho, é extremamente divertido.

leva a uma maternidade ou paternidade agradável e divertida. Se seus pais foram extremamente punitivos é tão insatisfatório ser igualmente punitivo com seus filhos como reagir contra o comportamento de seus pais com permissividade ilimitada. É preciso que você assimile o que foi feito com você e, partindo disso, crie algo novo, baseado em divertimento e alegria.

O segundo obstáculo é que muitos de nós podemos estar com o parceiro errado. A base segundo a qual escolhemos nosso parceiro na maternidade ou paternidade é quase sempre falha. Um parceiro compatível e amoroso não é necessariamente a mesma coisa que um parceiro de maternidade ou paternidade ideal. Como resultado disso, não é incomum que pais se vejam tendo de lidar com o fato de que seus relacionamentos são um erro, algo que discutirei mais detalhadamente neste capítulo. Depois de confrontada essa realidade, precisamos dar os passos para compreender a nossa situação, da qual podem surgir divertimento e alegria — e, disso, saúde emocional.

Maternidade

Ainda que ter um filho seja um acontecimento profundo para ambos os gêneros, o impacto tende a ser maior sobre a mulher. A maternidade impõe a maior ameaça à saúde mental de uma mulher. No entanto, para muitas é também o começo de uma significativa melhora na saúde emocional.

Mais da metade das mães britânicas com filhos pequenos dizem se sentir num estado de desespero. Oitenta por cento das mulheres com filhos com menos de 2 anos dizem que a criança criou uma "imensa tensão" no relacionamento com o parceiro, e dois terços dizem que tornar-se mãe as deixou "completamente desligadas do sexo". Cerca de 10% sofrem de depressão pós-parto profunda, algumas das quais se tornam psicóticas (perda total da identidade, confusão incoerente). No entanto, uma significativa porção de mulheres se sente muito mais saudável emocionalmente e diz que nada em suas vidas até então significou tanto para elas como se tornar mãe. Eis um exemplo claro do fato de que a saúde emocional e a mental são necessariamente sobrepostas.

Ao entrevistar mais de cinquenta mães de crianças menores de 3 anos, conheci muitas que me disseram que seus bebês haviam lhes dado um novo sopro de vida, e o mesmo ocorreu com os pais. Vivenciar a dependência de outro ser humano 24 horas por dia parece nos arrancar da nossa mistura de preocupações sobre trabalho, dinheiro e disputas familiares mais ou menos triviais. De repente, essas preocupações se tornam mesquinhas. Passamos do estado autocentrado em que podemos ter caído durante os anos anteriores à paternidade ou maternidade a uma necessidade urgente de nos preocuparmos com as necessidades de outra pessoa — e essa mudança de foco pode ser extremamente útil para a saúde emocional.

Sim, podemos nos sentir exaustos. Sim, a mãe pode se sentir dividida entre o desejo de construir uma carreira e o de estar presente para o bebê. Sim, o pai pode se sentir ansioso sobre ser capaz de sustentar a família, e se pegar olhando ao redor, já que sua vida sexual praticamente desapareceu. No entanto, pai e mãe com frequência relatam que, até o bebê chegar, era como se o mundo deles fosse uma ficção. Agora, tudo começa a parecer real novamente pela primeira vez desde suas próprias infâncias.

Isso acontecer ou não é, evidentemente, muito influenciado pelo que aconteceu na infância. Em geral, cerca de metade das mães tende a criar os filhos da mesma forma que a própria mãe, enquanto a outra metade reage contra a forma como foi criada, embora ambos os grupos possam imitar e se rebelar em momentos diferentes de suas experiências. A chegada de um bebê dispara memórias profundas do que significava ser um bebê. Ativa sentimentos profundos que temos de termos sido negligenciados ou cuidados, com base na forma como nossos cuidadores nos trataram.

Estudos realizados com macacos e também com seres humanos mostram a extensão em que a forma como criamos nossos filhos é afetada pela maneira como fomos cuidados. Observadas durante gerações, macacas que foram tratadas amorosamente por uma mãe receptiva normalmente tratavam seus próprios bebês da mesma maneira. Estudos animais são especialmente reveladores porque é possível realizar experiências intergeracionais com eles, algo que não é admissível com seres humanos.

Esses estudos demonstram que a quantidade específica de cuidado dispensado é duplicada na geração seguinte. A quantidade de contato que uma filha macaca tem com a mãe prevê precisamente a quantidade que ela dedica à própria filha, o mesmo ocorrendo com a neta. É claro que a semelhança de maternagem através de gerações poderia ser simplesmente uma herança genética — mas isso foi refutado. A quantidade de contato que a nova mãe teve com a própria mãe foi comparada com a média experimentada por *ela e suas irmãs*. A maternagem subsequente da filha reflete sua experiência particular, e não a média entre ela e suas irmãs.

Outra teoria é a de que um bebê geneticamente difícil poderia tornar a mãe indiferente. Isso foi negado por um estudo do que são chamados de bebês macacos altamente reativos (que são muito difíceis de cuidar porque reagem exageradamente ao menor som ou movimento). Em um estudo que seria antiético se realizado com seres humanos, os macacos foram divididos e confiados a mães normais ou a mães excepcionalmente carinhosas. Os bebês altamente reativos excepcionalmente acarinhados cresceram mais bem ajustados socialmente do que os bebês normais criados por mães normais. Em outras palavras, a proteção exerce uma influência tão grande, que é capaz de transformar um bebê difícil em um adulto superior. Além disso, quando a geração de filhos do estudo cresceu e teve filhos, seus estilos de criação, fosse excepcionalmente carinhoso ou normal, espelhava precisamente o tipo de cuidado que eles haviam recebido na primeira infância.

O que vale para macacos nem sempre vale para seres humanos. Neste caso, vale apenas até certo ponto. De modo geral, é verdade que estudos com seres humanos mostram que pais que receberam bons cuidados iniciais tendem a fazer o mesmo eles próprios. No entanto, os humanos diferem no fato de que possuem linguagem, e isso lhes dá a capacidade da autoconsciência, que, por sua vez, cria a possibilidade da escolha. Algumas mães refletem sobre suas próprias experiências e decidem agir de maneira diferente, algo que uma macaca não pode fazer.

Por exemplo, desde a primeira infância, Gillian, uma jornalista de 52 anos, era deixada pela mãe enquanto chorava. A mãe acreditava firmemente na visão de que um bebê precisa "saber quem manda". Se as mães cedessem, os "pirralhos fariam delas gato e sapato". O resultado foi uma Gillian nervosa e ligeiramente depressiva que se tornou uma adulta agitada. No entanto, quando veio a maternidade,

Bebês macacos altamente reativos com criação excepcionalmente carinhosa cresceram mais bem ajustados socialmente.

ela passou por uma grande e repentina mudança. Ela se tornou confiante, calma e segura, absolutamente determinada a não repetir os erros da mãe. Um macaco não pode decidir agir de modo diferente da mãe, mas um ser humano pode. Gillian entrou em sintonia com cada um dos três filhos, tomando o cuidado de deixar vários anos entre cada um para conseguir fazer isso e foi bem-sucedida em dar a eles um começo de vida muito bom. Os anos seguintes foram repletos de diversão e alegria. Infelizmente, nem sempre é tão simples. Se os seres humanos precisassem apenas *decidir* ser diferentes para que isso acontecesse...

Como a mãe de Gillian, a mãe de Julia era friamente negligente. Além disso, via Julia apenas como um veículo para satisfazer suas próprias aspirações não realizadas. O resultado foi uma brilhante carreira como advogada corporativa. Julia também teve relacionamentos sexuais com diversos homens, tendendo a preferir a própria independência e relutando em ter um relacionamento duradouro. Quando se viu perto dos 40 anos, decidiu ter filhos e se aproximou de um glamouroso homem mais jovem. Mas, quando os bebês chegaram, ela se viu dividida por desejos conflitantes, dos quais o mais forte era dar aos filhos o amor que nunca recebeu. No entanto, seu vício em sucesso profissional tornou isso muito difícil. Ela considerava impossível ficar em casa cuidando das crianças, porque precisava do efeito antidepressivo do status e das disputas do local de trabalho. No entanto, ela também não conseguiu contratar cuidadoras substitutas adequadas. Embora pudesse pagar uma babá, as que ela escolhia de alguma forma sempre pareciam não ter a receptividade e a empatia essenciais para bebês e crianças pequenas. Ironicamente, as babás que ela escolhia acabavam dando a seus filhos a mesma experiência de negligência que sua mãe havia lhe dado. Como ela própria nunca havia sido amada, não tinha suficiente percepção — elemento-chave da saúde emocional — para reconhecer as babás que seriam diferentes de sua mãe. Ela imaginava que uma boa babá precisava ser "educativa" e "eficiente", enquanto que o amor importa muito mais. Havia pouco espaço para diversão e alegria.

A história ilustra que nem sempre é suficiente *decidir* dar aos filhos uma experiência diferente. Talvez você ache difícil pôr os desejos em prática por ter impulsos que competem entre si. Uma questão fundamental é quais galhos uma mulher estava seguindo antes da maternidade, em termos de sua atitude em relação à própria feminilidade, à carreira e à identidade maternal.

Na Grã-Bretanha, os estudos da psicóloga e psicanalista Joan Raphael-Leff revelam que as mulheres têm três padrões principais de resposta a um bebê. A *Abraçadora* é cheia de fantasias pré-natal de como o bebê será quando nascer e depois vê como sua função se adaptar ao bebê. Ela pode dormir com ele na cama, vai querer amamentar no peito pelo máximo de tempo possível e adora a sensação de aconchego de viver em uma pequena bolha com seu recém-nascido, frequentemente ficando na cama com ele durante a primeira semana. É a mãe com menor probabilidade de voltar ao trabalho enquanto a criança tiver menos de 3 anos. A *Organizadora* é o oposto. Ela tem poucos ou nenhum pensamento sobre o tipo de pessoa que o feto é e, depois do nascimento, vê como sua função ajudar a criatura não civilizada a adquirir independência e a aprender como se encaixar nas necessidades da família o quanto antes. Ela impõe rotinas com o objetivo de ajudar o bebê a dormir e a comer em momentos que se encaixem em *sua* vida. Ela tem mais probabilidade de voltar ao trabalho, frequentemente considerando o bebê uma companhia entediante. Na Grã-Bretanha, esses dois grupos representam cerca de um quarto das mães cada (em outros países, as proporções são diferentes. Nos Estados Unidos, por exemplo, as Organizadoras são mais comuns). A metade restante das mães britânicas são *Flexíveis*, uma mistura dos dois outros tipos. A Fleximãe pode adotar algumas rotinas, ao mesmo tempo que se adapta aos desejos do bebê em outros aspectos. Ela está em busca de uma situação de duplo ganho, um padrão que possibilitará que tanto ela quanto o bebê se sintam contentes. O trabalho em meio período pode ser uma opção, principalmente se puder ser feito de casa.

Nenhum desses grupos tem maior probabilidade de ser mais saudável emocionalmente do que os outros, porque cada abordagem pode ter seus problemas. O mais comum é que se a mulher for forçada pelas circunstâncias, ou por impulsos derivados da relação dela com a mãe, pode adotar padrões que lhe parecem errados. Por exemplo, a saúde emocional de uma Abraçadora sofre se pressões financeiras exigem que ela trabalhe em tempo integral. Se uma Organizadora tenta agir como uma Abraçadora (talvez reagindo contra a própria mãe), mas não consegue sentir prazer ao ficar "presa" em casa, ela pode ficar deprimida. Uma Fleximãe que tenta agradar a todo mundo, mas acaba não agradando a ninguém, não vai ter saúde emocional. O vital é que cada mulher examine a própria história e seus sentimentos presentes e use esse conhecimento para criar o regime correto para ela e seu bebê.

Percepção e bom humor

Serena sempre foi uma menina estudiosa, que gostava do tempo que passava na escola. Sua mãe lhe proporcionava um cuidado estável e carinhoso, e o pai era um realizador impressionante. No entanto, ela ficou chocada e se sentiu decepcionada com o pai quando ele fugiu com uma mulher mais jovem — Serena tinha 17 anos. Como havia aprendido com ele que precisava pôr o trabalho antes dos namorados, ficou furiosa com a hipocrisia e decidiu que havia chegado a hora de aproveitar, embarcando em um caso tórrido com um atraente homem mais velho. Isso não a impediu de entrar em uma excelente universidade e conseguir um emprego muito bem remunerado no setor financeiro. Embora tenha aproveitado ao máximo entre os 20 e os 30 anos em uma série de relacionamentos excitantes, tomou uma decisão bastante deliberada sobre escolher um marido após completar 30 anos. De maneira friamente calculista, ela reconheceu que sua energia sexual diminuiria com a idade e se casou. Ela também tinha consciência de que as chances de ter um filho com anomalias — e de não conseguir sequer conceber um filho — aumentavam rapidamente depois dos 35 anos. O homem que ela escolheu não era namorador. Era um grande realizador da sua área. Ela o admirava e amava, mas não estava "apaixonada" por ele. Ele estava longe de ser sexy como seus amantes anteriores. Quando teve os bebês, ela foi esperta o bastante para identificar um nicho em sua área que lhe permitia trabalhar meio período. A babá que ela contratou para substituí-la quando não estivesse em casa também foi bem escolhida: ela me disse que não queria alguém que fosse estar constantemente levando os filhos para se encontrar com outras crianças ou fosse buscar "educá-los" ou "estimulá-los". Ela havia compreendido que tudo do que crianças pequenas precisam é da atenção constante de um adulto amoroso e receptivo (e essa pessoa não precisa ser um pai biológico). O resultado disso são crianças alegres e divertidas e uma Serena alegre e divertida.

Outro exemplo triunfante de uma mãe que teve percepção suficiente para evitar repetir o passado é Penny. Ela vive no presente, alerta para o que está acontecendo aqui e agora. Na escola, nunca se importou como se saía e, embora não tenha passado em muitas provas, não se vê de forma alguma inferior aos colegas mais qualificados. Foi alguém que sempre quis ser mãe e "tinha empregos" até isso acontecer, em vez de construir uma carreira. A maternidade veio acompanhada de imensas adversidades. Ela teve gêmeos, o que exerceu uma imensa pressão sobre ela (previsivelmente, mães de gêmeos correm mais risco de sofrer de depressão). Ela teve uma séria doença física durante os primeiros anos de vida deles, e isso se repetiu quando ela teve outros dois filhos. Seu marido lhe dava um apoio mínimo, saindo para o trabalho antes de as crianças acordarem e voltando apenas depois que elas já tinham ido dormir. No entanto, nada disso tinha importância. Embora tivesse inclinação para ser uma Abraçadora, Penny foi obrigada pelas circunstâncias a ser uma Fleximãe no cuidado com os filhos.

Sua saúde emocional tinha raízes em um relacionamento extremamente sólido com a mãe e a avó. Elas lhe deram apoio durante as dificuldades. Seu pai havia sido um bêbado padrão que deixara sua mãe quando ela era pequena, mas, para surpresa de todos, tornou-se uma figura incrivelmente alegre e animada com os netos, ensaiando brincadeiras, jogos e diversão que Penny estava normalmente estressada demais para oferecer. Crítica em sua história foi a capacidade de percepção, o elemento de saúde emocional sobre o qual falei no capítulo I. Ela não é uma pessoa intelectual, não tem propensão à teoria ou à introspecção excessiva. No entanto, percebeu que precisava evitar repetir os erros da mãe na escolha do companheiro. Durante a adolescência e o começo da vida adulta, teve relacionamentos com uma série de patifes encantadores. Chegou a um ponto em que se deu conta de que estava apenas repetindo os erros da mãe e, deliberadamente, foi atrás de alguém que, embora fosse menos glamouroso, excitante e rico do que alguns de seus outros pretendentes, era confiável. Embora sua mãe tivesse levado uma vida sexual permissiva, Penny decidiu evitar isso. O que nos traz ao segundo principal desafio de criar filhos: aprender a fazer o melhor do mau negócio que é o casal normal.

O seu parceiro de paternidade ou maternidade

Ao contrário de Penny, quase todos escolhemos nosso parceiro de paternidade ou maternidade utilizando critérios incorretos. No primeiro encontro, é extremamente raro que qualquer um dos envolvidos leve seriamente em consideração se o outro é a pessoa certa com quem embarcar no projeto de ter filhos. Quase sempre, originalmente escolhemos nosso parceiro com base no desejo sexual e no status. Num mundo racional, esses critérios jamais seriam primordiais.

É claro que, para haver um bebê, os dois envolvidos precisam querer fazer sexo um com o outro. Mas o fato de que uma mulher

Romuald et Juliette (1989): estes personagens são exceção, mas estudos mostram que temos maior probabilidade de escolher parceiros com aparência semelhante ao próprio pai, no caso das mulheres, e à própria mãe, no caso dos homens.

veste uma saia de tecido e corte específicos, revelando o tamanho e a textura das pernas, e que esses fatores por sua vez apelem para desejos específicos em um homem que vão até sua infância não é exatamente a base para decidir se ela fará um bom trabalho como parceira na criação de filhos. Da mesma maneira, o fato de que um homem fez você dar risada ou de você ter percebido que ele tinha mãos fortes ou uma bunda bonita quando vocês se conheceram não é base para a criação compartilhada dos filhos. Igualmente inútil é o quanto somos influenciados pela riqueza, o sucesso ou a popularidade do provável parceiro. Seria insensato escolher um carro com base apenas na cor, ou uma carreira pelo tipo de roupa que ela exige. A aparência de alguém, ou seu charme superficial, não é a base para encontrar a pessoa certa para colaborar no cuidado com os filhos. O desafio é os dois parceiros aceitarem que cometeram esse erro e encontrarem formas de torná-lo frutífero.

Uma distorção crítica é a extensão à qual fomos influenciados nessa escolha pelos traços do pai, no caso das mulheres, e da mãe, no caso dos homens. A primeira prova disso surgiu em um estudo perspicaz realizado em 1980 no Havaí, onde há muitos casamentos inter-raciais. Foram identificados mil homens e mulheres com pais e mães de raças diferentes. Em dois terços dos casos, o primeiro casamento foi com um parceiro da mesma origem étnica do pai, no caso das mulheres, e da mãe, no caso dos homens. Em dois terços dos casos, a mulher se casou com um homem com o mesmo tom de pele do pai, e o mesmo ocorreu com os filhos em relação às mães e esposas. O aspecto especialmente curioso desse estudo é que todos os sujeitos se divorciaram e voltaram a se casar. Como era de se esperar, em dois terços dos casos, seus segundos parceiros também eram da mesma origem étnica do pai, no caso das mulheres, e da mãe, no caso dos homens. Isso é uma prova poderosa de que a aparência do nosso pai ou da nossa mãe determina a nossa escolha de parceiros (e de que, talvez, não aprendemos com nossos erros).

Estudos subsequentes revelaram que temos maior probabilidade de escolher parceiros com cabelos e olhos da mesma cor do pai, no caso das mulheres, e da mãe, no caso dos homens, o mesmo ocorrendo em relação ao cheiro. O fato de sermos ou não emocionalmente próximos do pai ou da mãe também é abarcado. Sem dúvida, tanto mulheres quanto homens que eram próximos do pai ou da mãe têm ainda maior probabilidade de escolherem parceiros parecidos com eles. Um estudo especialmente revelador usou meninas adotadas como objetos de pesquisa. Elas apenas se casavam com homens parecidos com os pais adotivos se haviam sido próximas a eles. Isso demonstrou que se tratava apenas da criação, podendo não ter nada a ver com a natureza. Em outro estudo, as dimensões exatas dos rostos dos pais de 49 mulheres foram mapeadas cientificamente (a distância entre os olhos, o tamanho do nariz e assim por diante). As mulheres foram expostas a fotos de 15 rostos masculinos e instadas a escolher o que consideravam mais atraente. Se haviam tido um relacionamento positivo com os pais, eram significativamente mais inclinadas a escolher o rosto mais parecido com eles em termos de dimensões.

O fato de o passado ser uma influência tão grande torna provável que, para compartilhar a maternidade ou paternidade, escolha-se alguém que não seria escolhido caso a questão fosse tratada de modo racional. Para quem teve pais do sexo oposto emocionalmente saudáveis, isso funciona bem, mas, para a maioria de nós, não foi o que ocorreu. Assim, o dilema consequente é claro: continue com essa pessoa, ou se separe e siga em frente.

Como já foi descrito no capítulo 3, as evidências mostram que não apenas a separação costuma ser muito prejudicial para as crianças, como frequentemente também não beneficia os adultos. Na maioria dos casos, é muito melhor que cada parceiro faça o máximo para se resolver, em vez de ficar imaginando que a grama será mais verde em outro campo. Sem percepção, as chances são de que você apenas repita o mesmo erro na escolha do próximo parceiro, o que resultará em outro rompimento. Apenas depois de avaliar profundamente o próprio interior é possível concluir que a loucura ou as atitudes ruins do seu parceiro são motivos para uma separação. É claro que esses casos existem.

Caroline é uma mãe de 45 anos de idade cujos pais se divorciaram quando ela era pequena, depois das infidelidades do pai. Ela ainda mantém contato com aquele homem instável e tirânico, mas já aceitou o fato de que ele jamais será um bom pai para ela. Por sorte, sua mãe foi amorosa e tranquilamente apoiadora, e Caroline se saiu bem nos estudos e, depois, na carreira. Ela se casou com um executivo ambicioso e bem-sucedido, que acreditou que fosse lhe oferecer a segurança que o pai não havia lhe proporcionado, e abandonou o trabalho para cuidar dos filhos. Vivendo num mundo de executivos corporativos ricos, ela era cada vez mais vista como um acessório do marido. As vidas desses executivos giravam em torno de gastos imensos na compra de propriedades e em viagens de férias, enquanto as esposas utilizavam o consumo ostensivo como sinal de status. Caroline se sentia desesperadamente solitária: seu marido não a levava mais a sério, e ela se sentia muito entediada.

Durante um tempo, ela lidou com isso entrando para um culto religioso, que roubou parte do dinheiro da família. Ao mesmo tempo, descobriu que o marido se relacionava com prostitutas durante toda a vida de casados deles, e que essa era a norma entre seus colegas. Ela me disse que, ao descobrir isso,

> senti um estalo, ou acordei. Que diabos eu estava fazendo com aquela pessoa nojenta? Como eu havia permitido a mim mesma me afastar tanto do que eu gostava? Eu precisava sair. Levei mais três anos para reunir a coragem de ir embora. Eu sabia que ir embora é muito doloroso e quase nunca a coisa certa a fazer. Emocionalmente, o processo foi um pesadelo, mas eu ainda sou grata por ter feito o que fiz. Eu me livrei do mundo que havia me dominado tanto. Voltei a encontrar e me casei com meu antigo namorado de escola, que era completamente diferente do meu primeiro marido. Hoje, meus filhos e eu somos muito felizes, muito alegres. Nos divertimos e nos amamos muito.

Foi crucial para esse final feliz a capacidade de Caroline compreender como sua própria infância havia lhe feito escolher o primeiro marido e isso fez com que ela não se atirasse em outra fogueira conjugal. Em vez de simplesmente considerar o marido louco ou mau, ela fez uma pausa de três anos para olhar para si mesma e, ao fazer isso, conseguiu tomar uma boa decisão na hora de escolher um novo parceiro.

Como gerar bom humor na criação dos filhos

Como vimos, criar filhos apresenta dois desafios principais. O primeiro é compreender como nossas reações aos nossos filhos são uma resposta à forma como nós fomos cuidados. Apenas quando isso fica claro, podemos fazer algo a respeito — e, ao contrário dos macacos, nós temos essa alternativa. O segundo desafio é admitir até que ponto podemos ter cometido um erro na escolha do nosso parceiro de maternidade ou paternidade: quase todo mundo comete esse erro. Depois de admitir isso, em vez de depositar toda a culpa sobre o outro, é preciso aceitar que um erro foi cometido e começar a tirar o melhor proveito possível dele (ou, se for realmente necessário, começar de novo com outra pessoa, como Caroline fez). Isso também significa observar cuidadosamente qualquer tendência de identificar as características dos seus pais no seu parceiro, ao mesmo tempo que reconhece as formas como o seu parceiro *é* uma réplica do seu pai, no caso das mulheres, e da sua mãe, no caso dos homens. Tendo feito isso, você pode começar a criar um relacionamento baseado em como os dois realmente são e descobrir formas de aproveitar um ao outro, gerando alegria na criação dos filhos, ficando do mesmo lado e estimulando saúde emocional mútua. Um terapeuta de casais que realmente compreenda isso — talvez com uma formação no que é conhecido como psicologia transacional — pode ser muito útil. Essa forma recém-descoberta de olhar para o parceiro em maternidade ou paternidade pode se tornar uma plataforma para aproveitar a criação dos filhos e oferecer aos seus um modelo agradável para a vida deles.

Alguns pais podem estar lendo este livro com um coração cada vez mais pesado, porque têm consciência de que o cuidado que ofereceram gerou problemas aos filhos. Se for o seu caso, não se desespere. Se você tem um filho com problemas (entre os 3 anos e a puberdade) — problemas que podem ser tão insignificantes como timidez ou tão grandes como tristeza permanente —, há um método simples que desenvolvi para reiniciar o termostato emocional da criança, chamado Bombardeio de Amor. O método envolve conseguir tempo focado e individual com o seu filho, talvez num fim de semana fora, para estimular alegria, entusiasmo e amor — dei mais detalhes na seção Dever de Casa.

É inevitável que repitamos o passado. Mas nunca esqueça que parte dessa repetição é imensamente benéfica à nossa saúde emocional. Por exemplo, mães que são amadas se tornam elas próprias mães amorosas. Embora seja verdade que nós, inevitavelmente, estraguemos nossos filhos até certo ponto, isso não é tudo.

Conclusão:

Enfrentando os desafios

Qual é o sentido da nossa existência? Talvez seja simplesmente sermos máquinas que propagam nossos genes egoístas. Alguns dizem que o sentido é sermos veículos devotos da vontade de Deus. Outros, que não há motivo, que a vida não tem sentido. Eu acredito que o motivo é melhorarmos nossa saúde emocional: viver mais no presente, com mais autenticidade e percepção, ter relacionamentos mais fluidos e abertos com os outros e ser mais alegres e animados. Mas como podemos enfrentar os desafios para o progresso?

Como o sucesso sempre é apenas parcial, não fixar os obstáculos alto demais pode ajudar. Focar na felicidade como meta é destrutivo: ela é inatingível. O mesmo vale para a saúde mental: não existem pessoas 100% saudáveis mentalmente. Uma saúde emocional aperfeiçoada é algo muito mais realista. Ninguém atinge o topo da árvore da saúde emocional, mas você pode esperar dar cada vez mais passos adiante no seu galho. Esses pequenos movimentos aos poucos o levarão de volta ao tronco e para cima. Em termos de saúde emocional, isso é o bastante.

Você precisa, no entanto, saber em que galho está para começar — é difícil seguir em frente até você saber para onde está olhando. Mas ainda mais importante é compreender quem você é nesse galho específico. Encontrar meios de mudar a forma como a sua infância está impactando a sua vida hoje é fundamental.

Como você chegou aqui?

Um homem de 58 anos me escreveu o seguinte:

> Fui rejeitado pela minha mãe, que na época tinha 25 anos, nas primeiras semanas de vida depois de uma cesariana de emergência, e depois tratado como "um objeto" por ela durante dois ou três anos — uma ferramenta para seu uso. Meu "caminho" particular para esse autoconhecimento veio por meio da descoberta da "vergonha" que permanecera escondida dentro de mim por muitos e muitos anos. Agora que eu a descobri, a vergonha de não ser amado está lentamente desaparecendo, mas é uma noz difícil de quebrar, e a minha tarefa não foi facilitada pela ignorância geral entre terapeutas e conselheiros a respeito dela e sobre como "tratá-la".

Eis um homem que aceitou que não existem xamãs, magos ou especialistas idealizados capazes de lhe dar "a" resposta, mas que está trabalhando duro para usar qualquer ajuda que possa ser oferecida. Se você vai a um terapeuta, um padre ou algo parecido, não se preocupe com o fato de que eles normalmente não entendem as coisas direito. É claro que se eles estão quase sempre errados e não conseguem "entendê-lo", você deve pensar sobre ir a outro lugar, mas se eles são úteis ao menos em parte, então tudo bem — você não deve esperar muito.

O homem prosseguiu:

> Pouco depois que meu filho nasceu, há vinte anos, quando minha mãe estava chegando aos 60, ela nos visitou. Durante uma discussão, falando alto e abertamente, ela disse sobre meu filhinho: "Não é bom ter um brinquedo com que brincar?" Minha mulher e eu ficamos mudos. Essa observação demonstrou ao mesmo tempo a extensão da "negligência" que ela sofreu na infância pelos próprios pais e sua completa falta de autoconsciência.

Mas a tristeza e a raiva em relação aos pais podem ser seguidas pelo perdão e pela compreensão. O homem concluiu:

> Levei 45 anos ou mais para entender (com a ajuda dos seus livros e alguns outros) o que havia acontecido e qual o efeito que aquilo havia surtido em mim. Quando minha mãe morreu, cerca de dez anos depois, eu havia conseguido conversar com ela a respeito disso algumas vezes. Embora nunca tenha admitido o que aconteceu, ela também nunca negou. Sua atitude, pela qual vim a respeitá-la, era dizer: "Se as coisas que você disse que aconteceram realmente aconteceram, então eu peço desculpas. Não quis lhe fazer nenhum mal." Uma das lições que eu aprendi foi a de não levar os "maus-tratos" para o lado pessoal. O fato é que ela teria feito (ou deixado de fazer) tudo o que fez com qualquer filho que tivesse tido naquela época. Então, não era "nada pessoal"!

Avalie o que você tem

Outro lugar por onde começar sua jornada é com uma avaliação do que você tem, bem como do que está faltando. Quase sempre há coisas boas e más no que recebemos de nossos pais. Além disso, a maioria das pessoas vivendo em nações desenvolvidas simplesmente não faz ideia da sorte que tem. Ao contrário de grande parte da população mundial, temos comida suficiente, eletricidade, cuidados de saúde, educação e liberdade para fazer muito do que queremos — com a ajuda de um grande número de equipamentos que temos como certos (telefones celulares, carros, computadores e internet). Se ao menos conseguíssemos nos satisfazer com o que temos, materialmente, poderíamos começar a nos focar nas outras coisas, tão integrais à saúde emocional: as pessoas íntimas a nós, nossos amigos, nossas comunidades e nossos hobbies, bem como as experiências mais profundas, como a fruição das artes ou a possibilidade de passar períodos em belos ambientes naturais ou em buscas espirituais — na verdade, qualquer coisa que balance seu barco interior.

Passar como um sonâmbulo pela vida não é um problema novo. Talvez a mais poderosa evocação literária disso seja o conto *A morte de Ivan Ilitch*, de Leon Tolstoi. Juiz da elite dominante russa, ele descobre que está com câncer. Com impressionante habilidade, Tolstoi leva Ilitch em uma jornada de volta à própria vida. A honestidade agonizante o faz se dar conta de que sua vida foi uma farsa inútil. Ao encarar a falência de seus relacionamentos e aspirações, ele não sente nada além de horror diante das preocupações e pretensões superficiais da mulher. Até mesmo seus filhos parecem distantes e inúteis. Seus amigos não têm empatia real em relação a ele.

Também não conquistou nada de valor na carreira, tendo sido um simples funcionário em uma classe dominante corrupta e exploradora. Pode parecer que ele simplesmente desenvolveu uma depressão clínica, mas, na verdade, ao realizar essa jornada, ele conquista um renascimento no leito de morte.

Uma porção significativa de pessoas emocionalmente saudáveis passaram por uma jornada semelhante. Parece ser necessário algo tão extremo como a ameaça da morte de verdade — ou pelo menos da morte social — para despertar muita gente. Isso pode acontecer em quase qualquer idade. Uma mulher com cerca de 30 anos havia tido uma mãe dada a ideias extravagantes, frequentemente decidindo de uma hora para outra sair de carro pelos Estados Unidos, uma itinerante caótica. A mãe era bem maluca. Aos 5 anos, a mulher muitas vezes precisava ser a adulta apenas para garantir que as duas sobrevivessem. Embora sua infância a tenha feito se sentir insegura, também fez com que, não importando quanto dinheiro ela ganhasse, sempre valorizava o fato de ter comida suficiente na despensa. Ainda hoje, ela mantém os armários abastecidos e se compraz da ideia de que não passará fome. Com a ajuda de uma amiga da família atenciosa e leal e depois de um bom terapeuta, ela se transformou em uma pessoa muito saudável emocionalmente.

Outro exemplo é o do homem viciado em trabalho que percebeu que a esposa parecia estar passando tempo demais com o melhor amigo dele. Questionada sobre se os dois estavam tendo um caso, ela negou. Dois anos se passaram antes de ele se dar conta de que os dois estavam, sim, tendo um caso, e o divórcio se seguiu. Bem como um colapso nervoso. Ele me disse: "Fui ao fundo do poço. Tinha chegado ao limite. Estava me sentindo péssimo. O suicídio definitivamente passou pela minha cabeça." Com a contemplação do próprio fim, surgiu um começo. Com a ajuda de uma terapeuta, ele reavaliou toda a sua vida. "Muita gente está apenas sobrevivendo. Foi só porque cheguei ao fundo do poço que comecei a subir para sair dele." Durante alguns meses, viu a terapeuta todas as semanas, e ela o estimulou a ler um livro sobre meditação. Utilizando o livro, em vez de aulas diretas, ele desenvolveu uma rotina diária de meditação, que também podia ser empregada em qualquer momento que ele se sentisse aflito. Hoje ele é uma pessoa viva, com brilho nos olhos, sempre fazendo o máximo para ficar atento ao que está ocorrendo em torno dele social e psicologicamente, uma presença vibrante. Práticas como a meditação, que aumenta a plena atenção de nossos sentimentos, pensamentos e estados corporais a cada instante, bem como do que acontece com os outros, pode ser de imensa ajuda para nos afastar da tendência de viver à deriva, distantes do presente.

Será que uma catástrofe como o fim do casamento ou a ameaça da morte é a única maneira de nos tornarmos emocionalmente saudáveis? Para alguns de nós, pode ser. Algumas pessoas estão tão avançadas nos galhos mais baixos da árvore da saúde emocional que será necessário um acontecimento desse nível de gravidade para que elas comecem a subir. Mas para a maioria de nós não precisa ser nada tão extremo. Há inúmeras formas de fazermos uma mudança mais gradual. Espero que, ao ler este livro e pensar nos assuntos abordados — percepção, noção de *self*, relacionamentos fluidos de mão dupla, autenticidade, bom humor e vivacidade na vida —, você tenha por onde começar.

Para fazer algo com isso tudo, você pode realizar um exercício simples.

Exercício
Faça uma lista de todos os aspectos da sua vida que você considera desgastantes. Podem ser características negativas (como ser temperamental, preguiçoso ou apático), mas também, talvez, coisas que você ache que não valorize o suficiente (seu parceiro, por exemplo, ou seus filhos). Agora você precisa encontrar um lugar em que possa pensar como sendo seu túmulo simbólico. Poderia ser um canto tranquilo de um campo, se você vive no interior. Ou talvez um ponto no seu jardim, caso tenha um. Ou apenas um lugar da sua casa, como o chão de um cômodo tranquilo. Agora, deite-se no seu "túmulo" e imagine o pior cenário possível.

Imagine que você tenha morrido, olhe a partir do túmulo em que foi enterrado e imagine que você gastou completamente a sua vida, desperdiçando seus talentos e toda a boa vontade oferecida pelos que o amavam. Olhando para você, estão todas as pessoas importantes da sua vida — de companheiros e filhos aos pais, passando por professores e colegas queridos. Agora, imagine que eles estão expressando fúria e ressentimento por todo o desperdício que foi sua vida. Eles não sentem um rasgo de pena ou lamento por sua morte, apenas revolta pela sua incapacidade de aproveitar ao máximo o que havia. Ouça o que eles dizem, imagine-os gritando e berrando sobre seu corpo inerte enquanto está ali deitado. Imagine exatamente o que eles estariam dizendo. Seus filhos podem estar gritando: "Como você pôde passar tanto tempo trabalhando quando poderia estar brincando comigo?"; seu marido ou sua mulher podem estar dizendo

Imagine a si mesmo em um lugar que você possa pensar como seu túmulo simbólico. Pode ser um canto tranquilo de um campo, se você vive no interior.

"Você nunca me deixava saber o que estava pensando. Agora é tarde, seu idiota!"; seu professor mais querido pode estar xingando você por "todo aquele talento maravilhoso que você tinha para escrever redações, desperdiçado pelo uso de drogas e pela bebida".

Apenas depois de eles terem expressado toda a frustração, você deve deixar o som morrer. Em seu lugar, comece a imaginar as promessas que você vai fazer a si mesmo para colocar em prática as medidas que evitarão que seja realmente assim quando você morrer. Escreva pelo menos cinco coisas e, todas as manhãs do mês seguinte, antes de começar o dia, leia-as e prometa viver de acordo com elas: prometa começar a amar a si mesmo, a estar disponível para os outros e todas as outras coisas que a maioria de nós não faz direito.

Além deste livro

É claro que só ler este livro e fazer um exercício pode não ser o suficiente. Infelizmente, apenas desejar ser diferente não apaga a extensão em que nossos padrões costumeiros estão enraizados como um conjunto estabelecido e habitual de ondas cerebrais e químicas. Para lidar com isso, é imprescindível que você refaça os passos ao longo dos galhos que o levaram até onde você está. Existe uma porção de maneiras de fazer isso. Há inúmeros livros de autoajuda que oferecem oportunidades valiosas para que as pessoas examinem suas histórias emocionais. Muitos romances são incrivelmente úteis, e eu sugiro algumas leituras na seção a seguir. De fato, os livros podem por vezes ser sozinhos uma revelação suficiente — ainda que, para pessoas com a tendência a intelectualizar seus problemas, ler pode ser meramente uma fuga cerebral, que não se converte em mudanças reais no comportamento ou na qualidade da experiência.

Para outros, não há dúvidas de que práticas espirituais são imensamente úteis. Como mencionei antes, pessoas que fazem uma prática semanal têm significativamente menor chance de sofrer uma doença mental do que as que não fazem. Isso não significa que elas sejam mais saudáveis emocionalmente, mas pode ser o caso. Não importa qual prática religiosa ou código religioso você siga, o que parece ser importante é que se tenha isso. No caso de uso abusivo de álcool ou drogas, por exemplo, há um nível prático no qual uma religião organizada pode ajudar adolescentes. Simplesmente porque, se a religião deles proíbe o uso e eles são devotos, não estão correndo riscos. Isso não significa que eles serão emocionalmente saudáveis. Na verdade, a devoção religiosa pode fazer com que as pessoas se sintam muito inibidas e oprimidas. Mas evitar o uso de drogas aumenta as chances de saúde mental. Por consequência, você pode perceber que um código de ética particular pode ajudá-lo a evitar escolhas autodestrutivas quando se trata de hedonismo, por exemplo (como ter casos extraconjugais ou jogar compulsivamente). Também não se deve fazer pouco caso de bons hábitos, como manter uma dieta saudável, fazer exercícios regularmente e garantir horas de sono suficientes. Tudo isso, acompanhado de técnicas de relaxamento como ioga e meditação, serve a algumas pessoas como recursos para a construção de uma vida melhor.

Essas coisas começam a associar a saúde emocional com uma disciplina espartana. É claro que isso está errado. Não há nada de

Bons hábitos como uma dieta saudável e exercícios regulares, acompanhados por técnicas de relaxamento como ioga e meditação, podem ser o material necessário para se construir uma vida melhor.

errado com o excesso em si, com o desfrute dos prazeres do corpo — sejam eles comida, sexo ou sensações e humores induzidos quimicamente. O problema surge apenas quando esses prazeres se tornam compulsivos. Desde que a escolha esteja em ação, vale quase tudo. Não existe um código moral compartilhado por todas as pessoas emocionalmente saudáveis. O elemento-chave, como eu disse, é que elas tenham um conjunto de valores com o qual elas próprias possam regular a si mesmas, baseadas não no que os pais e a sociedade insistem ser o correto, mas em suas próprias experiências.

Ajuda séria

Para algumas pessoas, talvez seja necessária uma ajuda profissional. Isso pode incluir períodos curtos de uso de medicamentos, como antidepressivos. Se decidir ir por esse caminho, você não deve nunca esquecer que antidepressivos têm efeitos colaterais (como redução da libido) e efeitos indesejáveis sobre a sua psique (como uma resposta embotada à beleza). Além disso, a maioria dos efeitos produzidos por esses medicamentos é obtida pelo *desejo* do indivíduo que eles funcionem, o que é conhecido como efeito placebo. Não que isso signifique que os antidepressivos devam ser dispensados. Desde que reduzam sua depressão, eles são valiosos como recurso de curto prazo. Mas, na maioria dos casos, você não deveria precisar tomá-los por mais de seis meses seguidos.

Há também os alívios temporários não químicos, como a Terapia Cognitivo-Comportamental (TCC), que pode ajudá-lo simplesmente a não cair da árvore. Esses tratamentos implicam usar os pensamentos para controlar os sentimentos, uma espécie de hipnose. Ao desafiar constantemente seus pensamentos negativos e promovendo outros mais positivos, talvez você consiga obter um otimismo frágil e superficial. Isso é melhor do que nada.

Os medicamentos e tratamentos como a TCC podem ser imensamente danosos em casos em que já existe a tendência de alguns proponentes em proibir explicitamente os pacientes de olharem para a própria infância, onde os problemas começaram. Quem receita os medicamentos pode dizer que os problemas são causados pelos genes. Eu não acredito que estejam mentindo deliberadamente quando dizem isso. Acho simplesmente que ainda não têm conhecimento das provas poderosas do Projeto Genoma Humano, que mostra que isso simplesmente não é verdade na maioria dos casos. Para que a saúde emocional aconteça, os primeiros anos precisam ser compreendidos, e o chumbo dos maus-tratos, convertidos no ouro da percepção.

A forma mais óbvia de atingir isso é buscar terapias que foquem em nosso passado. Há métodos de curto prazo que podem fazer uma enorme diferença:

- Para pessoas deprimidas, o Processo Hoffman é um mergulho na sua infância com duração de uma semana, e pode ser uma revelação. Ele frequentemente não é suficiente sozinho, mas pode ser um excelente ponto de partida.
- Da mesma forma, 16 sessões de Terapia Cognitiva Analítica levam você aos seus primeiros anos de vida antes de usar esse conhecimento para tratar um problema específico, como uma tendência de buscar o tipo errado de parceiro ou de brigar com seu chefe.

- Terapias em grupo podem ajudar com problemas específicos, como vícios e timidez.
- A Análise Transacional (ou Terapia Transpessoal) pode ser imensamente recompensadora, levando você de volta à infância e promovendo um rico resgate.

Além disso, há a ajuda mais intensiva e de longo prazo oferecida pelos terapeutas psicanalíticos. Nesse caso, muito depende da personalidade e da saúde emocional do terapeuta, que talvez sejam considerações ainda mais importantes do que as teorias que guiam seus trabalhos. Qualquer que seja o tipo de terapia que busque, você precisa de um terapeuta que concorde explicitamente, desde o começo, que a tarefa é compreender como o seu passado existe no presente. Se você for a um profissional que professe representar qualquer das escolas que acabei de citar, deve desafiá-lo desde o começo a demonstrar isso claramente, e se ele der respostas ambíguas, você precisa procurar ajuda em outro lugar. Você precisa prestar atenção às suas impressões iniciais ao escolher um terapeuta. Se a pessoa simplesmente não parece muito atenciosa ou inteligente, ou certa para você, você precisa de outro profissional.

No fim, não há ideologia que resultará em uma melhor saúde emocional, seja ela religiosa, filosófica, psicológica, médica ou, até, política. A saúde emocional é um desafio diário bastante individual. Como já relatei, não existe um momento em que um ser humano resolve o problema: "Resolvido. Agora sou emocionalmente saudável." A saúde emocional completa é um estado que só podemos perseguir.

Minha mãe foi um ótimo exemplo disso. Ela teve uma infância difícil, para dizer o mínimo. A mãe dela era uma mulher fria, e minha mãe foi cuidada por uma babá, que foi efetivamente a mãe dela, mas que — apesar de ser amorosa — era frequentemente dura, recorrendo ao castigo físico. O pai da minha mãe cometeu suicídio quando ela tinha 14 anos. O irmão preferido dela era homossexual e também se matou, pouco antes do nascimento do segundo dos quatro filhos dela. Para minha mãe, cuidar dos filhos era uma dificuldade — nada surpreendente, considerando que, em determinado momento, éramos quatro crianças com menos de 5 anos. Na meia-idade, e antes da morte do meu pai, eu diria que ela nunca estava muito satisfeita, embora demonstrasse com frequência algumas características emocionalmente saudáveis, como animação e bom humor. No entanto, depois da morte do meu pai, ela viveu mais dez anos e desabrochou. Sua tendência à depressão desapareceu. Ela se tornou uma boa ouvinte, criteriosa em suas sugestões, animada e ocupada. Era mais do que dedicada às amigas, ainda que nunca sentimentalizasse suas relações com elas. Eu diria que ela era emocionalmente saudável em muitos aspectos e pela maior parte do tempo nesse último período de sua vida.

Uma saúde emocional melhorada é algo aberto a todos nós, o tempo todo. É verdade que há muitos desafios, o maior dos quais talvez seja a posição que nossa infância nos leva a ocupar na árvore da saúde emocional. Mas com boa vontade — e sempre lembrando-se do lema da minha mãe: “Espere pelo melhor, mas prepare-se para o pior” — nós podemos, com percepção, criar relacionamentos mais saudáveis e uma vida mais autêntica, animada, divertida e verdadeira.

Dever de casa

A seção a seguir inclui trabalhos que foram fontes valiosas na elaboração deste livro e também ideias adicionais para ajudar você a compreender a saúde emocional. São todas leituras recomendadas.

Introdução: Você é emocionalmente saudável?

O conto de Leon Tolstoi *A morte de Ivan Ilitch* é uma brilhante evocação da importância de olhar ao redor, para aqueles de nós vivendo em sociedades abastadas. Um membro convencionalmente bem-sucedido da elite dominante russa descobre que tem câncer. Quando está no leito de morte, ele se dá conta de que sua vida foi passada em trocas sociais vazias e que não sente qualquer intimidade autêntica em relação a nenhum dos membros de sua família. Sua epifania desafia o que significa ser normal, são ou feliz e oferece o potencial para algo mais profundo.

O livro de Erich Fromm *Ter ou ser?* é uma visão de saúde emocional ancorada em seu marxismo budista psicanalítico. Membro da Escola de Frankfurt de psicanálise, Fromm demonstra como tanto a história da infância de alguém quanto o capitalismo moderno podem nos privar de compreender o que realmente importa na vida. Ele oferece uma alternativa à existência convencional.

O filme de 2008 de Mike Leigh, *Simplesmente feliz*, retrata uma jovem mulher cuja saúde emocional penetra na vida das pessoas ao seu redor.

Ouça a versão de Gary Jules para a canção "Mad World". Sua tristeza pelo fato de tanta gente se sentir morta é de cortar o coração, e pode ser um ponto de partida para buscar algo melhor.

1. Percepção

Os cinco livros de Melrose de Edward St. Aubyn, *Never Mind* [Não faz mal], *Bad News* [Más notícias], *Some Hope* [Alguma esperança], *Mother's Milk* [Leite materno] e *At Last* [Finalmente], são sobre a vida de um homem que foi abusado sexualmente pelo pai quando criança e negligenciado pela mãe. Lutando com o vício em drogas e relacionamentos instáveis, o personagem central luta para criar alguma capacidade de escolha na vida ao superar o legado de sua infância difícil. Os livros oferecem um retrato realista do que pode ser a redenção.

Muitas pessoas me escreveram dizendo que acharam meu livro *They F*** You Up — How To Survive Family Life* [Eles f**** com você — como sobreviver à vida familiar] muito útil na compreensão de como diferentes componentes da história de suas infâncias afetaram suas personalidades adultas. A biografia de Linda Hopkins do psicanalista Masud Khan, *False Self* [*Self* falso], descreve um homem que lutou para obter percepção sobre seu caráter falho e fracassou. Usando o diário que Khan mantinha sobre seus pensamentos e sentimentos secretos, ela mostra como ele lutava para lidar com sua sensação de impotência e insignificância. Surpreendentemente, em seu fracasso para obter essa percepção, há esperança para todos nós — não é fácil compreender nosso passado e realmente mudar como nos comportamos no presente, mas só porque fracassou, não quer dizer que não podemos obter sucesso. Hopkins sugere algumas das formas nas quais a percepção pode nos iludir. O livro também traz um relato interessante de como o movimento psicanalítico se desenvolveu entre os anos 1950 e 1980.

O filme de Alfred Hitchcock de 1945, *Quando fala o coração*, mostra de forma muito bonita e bastante divertida como a exploração cuidadosa do passado de alguém — neste caso usando um sonho (incluindo cenários desenhados por Salvador Dalí) — pode ajudar uma pessoa a alterar seu comportamento no presente, com base na compreensão de como o trauma de infância está sendo representado.

A canção "Mother", de John Lennon, é um grito melancólico à mãe dele por tê-lo abandonado. A música está no disco *John Lennon/ Plastic Ono Band*, que inclui várias outras canções tocantes sobre o impacto de sua infância sobre ele. Outra canção, "You Choose", do disco *Release* dos Pet Shop Boys, é uma tentativa divertida de encorajar quem a ouve a aceitar a responsabilidade por um estado mental que normalmente supomos estar fora do nosso controle: a paixão.

2. Vivendo no presente: noção do *self*

Quase qualquer coisa escrita por P. G. Wodehouse — mas especialmente as histórias de Wooster — tem personagens cheios de vida que vivem no presente, e essa vitalidade passa para o leitor. Embora seja visto como livro infantil, *Peter Pan*, de J. M. Barrie, também transmite com muita força qual é a sensação de estar no presente — poucos personagens ficcionais fazem tanto quanto o próprio Peter Pan. O livro *Engleby*, de Sebastian Faulks, explora sutilmente as múltiplas personas que uma pessoa aparentemente normal pode ter. Também trata dos problemas de viver indiretamente.

O livro de Mark Williams sobre *Mindfulness* [Plena atenção] oferece um guia sobre como entrar em contato com o momento presente e um CD que pode ser usado como ferramenta prática.

A adaptação da BBC da autobiografia velada de John le Carré, *A Perfect Spy* [Um espião perfeito], oferece uma análise detalhada de por que desenvolvemos vidas secretas. O livro em que a série se baseia é igualmente bom.

É impossível escolher uma canção que faça todo mundo se sentir animado, uma vez que depende do gosto pessoal. "Dynamite", de Taio Cruz, era capaz de trazer meu filho de 7 anos para o presente — não que ele viva em qualquer outro lugar pela maior parte do tempo (ele agora tem 8 anos e passou para "All Along The Watchtower", de Jimi Hendrix). Mais contemplativa pode ser "I Know That My Redeemer Liveth" do *Messias* de Handel. Para mim, é todo o lado B do disco *Abbey Road*, dos Beatles, mas especialmente "Golden Slumbers".

3. Relacionamentos fluidos, de mão dupla

Estar em relacionamentos fluidos de mão dupla não significa dizer tudo o que se pensa. Pode ser algo muito sutil, como fica evidente na perspicácia e na percepção reveladas por Jane Austen quando ela descreve as comunicações complexas e frequentemente implícitas de seus personagens. Todos os seus livros são maravilhosamente escritos, mas muita gente sente que *Emma* é a obra mais impressionante. Os livros oferecem um mapa ético para servir de guia na hora de lidar com nossos companheiros humanos. Igualmente edificante, de maneira diferente, é o meu livro preferido de Evelyn Waugh, *A Handful of Dust* [Um punhado de pó]. Sua história sobre a traição de um marido pela esposa é arrepiante. Talvez o mais poderoso de todos seja o poema de T. S. Eliot "A canção de amor de J. Alfred Prufrock". Ele fala da solidão da pessoa solteira, ainda que, felizmente para Eliot, ele tenha encontrado o amor mais tarde e desistido de escrever poemas tão dolorosamente honestos e profundos.

Não há soluções simples para o conflito conjugal, mas o melhor método de autoajuda se chama Terapia Imago. Essencialmente, ela envolve repetir ao parceiro ou parceira o que ele ou ela diz e conferir se você o(a) compreendeu corretamente. Harville Hendrix é o autor de *Todo o amor do mundo*, o mais claro relato popular do método. Abordando os relacionamentos de um ângulo diferente, *Solidão*, de Anthony Storr, argumenta de maneira persuasiva que damos um valor alto demais aos relacionamentos na vida moderna, exigindo demais deles. Ele sustenta que há muito a ganhar com nossa própria companhia.

Talvez o melhor drama televisivo já produzido, *Pennies From Heaven* (BBC), de Dennis Potter, explica os relacionamentos e as diferenças entre os gêneros. Usando clássicos populares dos anos 1930, os personagens às vezes apelam a canções para comunicar como estão se sentindo, cantando como se estivessem num musical. Deixando de lado o fato de que foi o uso mais inovador e imaginativo da televisão de todos os tempos — fazendo os esforços de hoje parecerem patéticos em sua falta de originalidade —, a série tem muito a nos ensinar sobre amor, sexo e romance.

Embora a maior parte das canções pop seja ou sobre se apaixonar (como "I'm Not In Love", do 10cc) ou sobre ser rejeitado por um amor (a maior parte da obra de Bryan Ferry em sua carreira solo, como "Dance Away The Tears"), poucas exploram as sutilezas mais finas da comunicação. As canções de Leonard Cohen do disco *Songs of Leonard Cohen* têm algumas das coisas mais poéticas e tocantes que podem ser ditas sobre as agruras do amor romântico.

4. Autenticidade em nossas carreiras

New Grub Street, de George Gissing, continua sendo o relato definitivo da tensão entre escrever por dinheiro como jornalista e escrever como autoexpressão ou para produzir arte. Embora tenha sido escrito no final do século XIX, a necessidade de ganhar a vida e manter um estilo de vida de classe média ao mesmo tempo que se realiza um trabalho do qual se sente orgulho e de que se gosta continua sendo tão difícil de conciliar hoje como sempre foi. A mesma tensão entre objetivos e motivações intrínsecas e extrínsecas pode ser encontrada no excelente *This Bleeding City* [Essa cidade que sangra], de Alex Preston. Um relato angustiante da vida em um banco durante a quebra do crédito de 2008, cujo principal protagonista fica dividido pelo conflito entre seu desejo de fazer algo que valha a pena e sua ambição de ficar rico.

Meu próprio livro *Office Politics: How to Thrive in a World of Lying, Backstabbing and Dirty Tricks* [Política corporativa: como crescer em um mundo de mentiras, traições e truques sujos] oferece meios de manter a autenticidade e ser bem-sucedido na carreira. Em alguns aspectos, é um guia de sobrevivência para um problema que explorei em meu livro *Affluenza: How to Succeed and Stay Sane* [Afluência: como ser bem-sucedido e permanecer são], que explicou por que é tão difícil não perder a cabeça numa sociedade maluca.

A série dramática de John le Carré da BBC, *O espião que sabia demais*, não é apenas emocionante de assistir, mas explora como se pode ser real e verdadeiro mesmo quando se trabalha no enganoso mundo da espionagem.

Sempre preocupado com o problema do que é autêntico, John Lennon escreveu sua canção "Working Class Hero" para expressar sua frustração com a irrealidade que sentia como resultado de seu incrível sucesso. A música contém os versos "There's room at the top they are telling you still/But first you must learn how to smile as you kill" [Eles ainda dizem que há lugar no topo/Mas antes você precisa aprender a matar sorrindo].

5. Alegria e entusiasmo na criação dos filhos

O romance de Nancy Mitford *Love in a Cold Climate* [Amor em clima frio] oferece um retrato delicioso da divertida cultura familiar em que foi criada. O bom humor e a animação transcendem o privilegiado cenário aristocrático e servem de modelo a todos nós.

Meu livro *Love Bombing: Reset Your Child's Emocional Thermostat* [Bombardeio de amor: reinicie o termostato emocional de seu filho] oferece um método bastante simples para estimular amor, bom humor e entusiasmo entre você e seus filhos dos 3 anos à puberdade. Ele pode ser aplicado em vários graus de intensidade e parece modificar a forma como você se relaciona com a criança. Você simplesmente diz a eles que vai passar algum tempo só com eles (em geral é a mãe que faz isso, mas não necessariamente). Durante esse tempo, eles estarão no controle e você os cobrirá de amor. Na versão completa, seria ideal que você levasse a criança para longe da casa da família para passar um fim de semana, talvez saindo na sexta-feira à noite e voltando no domingo. Você pede que a criança dê um nome a esse período juntos ("Hora da mamãe", ou coisa parecida). Durante os preparativos, as crianças ficam muito empolgadas e, durante o fim de semana, passado talvez em uma pousada ou, se você puder pagar, um hotel, a criança está no comando. Dentro do razoável, você faz tudo o que ela quiser. Você também diz a ela que a ama, de verdade. O curioso é quantos pais descobrem que a criança de repente se torna uma companhia encantadora. Também redescobrem por que ficaram tão felizes quando o bebê nasceu ou por que amam seus filhos.

Depois do retorno, você organiza e tenta passar meia hora junto com a criança todas as noites seguindo as mesmas regras (sei que é algo muitas vezes difícil de fazer, especialmente quando há outros filhos) de volta ao normal, por assim dizer. Muitos pais contam que um fim de semana de bombardeio de amor, ou alguma variante dele (talvez uma tarde, apenas), produz mudanças significativas em termos de maior saúde emocional tanto no pai e na mãe quanto nos filhos.

Para instruções mais completas sobre como fazer isso, leia o livro ou entre em contato comigo pelo site www.selfishcapitalist.com.

Uma análise mais acadêmica da diversão é o clássico de Donald Winnicott *O brincar e a realidade*. Os três tipos de mães que descrevi neste capítulo — Abraçadora, Fleximãe e Organizadora — são detalhadamente explicados em meu livro *How Not To F*** Them Up* [Como não f**** com eles].

O filme de Mike Leigh de 1990 *Life Is Sweet* [A vida é doce], como a maioria do trabalho dele, é um modelo de bom humor, dessa vez num cenário familiar. Embora seja normalmente muito engraçado, o filme também retrata a luta de uma adolescente rebelde com bulimia. As tensões na família são expostas, mas o afeto e a solidariedade subjacentes sentidos por seus membros são celebrados, fundamentalmente favorecidos por uma animação bem-humorada.

A canção "Kooks", de David Bowie, do disco *Hunky Dory*, se solidariza com seu filho por ter pais tão excêntricos. Na vida real, muitos dos cuidados com Zowie, como o pobre menino foi batizado (posteriormente trocando o nome para Duncan), foram de uma babá. Mas a canção de fato estimula o bom humor e a humildade nos pais de modo cativante.

Conclusão: Enfrentando os desafios

De todos os livros que li, *Ressurreição*, de Leon Tolstoi, oferece o mais profundo relato sobre como viver uma vida emocionalmente saudável. Um nobre tem um encontro com uma prostituta, que, como consequência do encontro, é condenada pelo tribunal. O nobre decide dedicar a vida a ajudá-la e fica estarrecido ao se dar conta do tipo de sociedade em que vive. No caminho, ele cria uma *raison d'être* muito mais significativa.

The Sane Society [A sociedade sã] desenvolve as ideias de Erich Fromm sobre saúde emocional para os indivíduos e a sociedade. Ainda é o mais perto que se chegou para um mapa da existência sã, apesar de ter sido escrito há quase sessenta anos.

O filme de Jean-Pierre Jeunet *O fabuloso destino de Amélie Poulain* (2001) é edificante e divertido demais. Uma jovem inocente faz um favor a alguém e decide começar secretamente a tornar as vidas de outras pessoas mais felizes. Sem que o filme caia na pieguice ou no sentimentalismo, ela consegue fazer isso. Desnecessário dizer, ela também encontra o amor...

A canção "Heroes", de David Bowie, do disco com o mesmo nome, continua sendo a mais poderosa evocação musical do poder das relações íntimas para transcender as adversidades exteriores. Igualmente tocante e inspiradora é a canção de Bowie "Rock'n'roll suicide", com a qual ele encerrou seu disco *Ziggy Stardust*. Menos conhecida é sua "Cygnet Committee", do disco *Space Oddity*. A canção termina com a repetição do pedido "I want to live, I want to live" [Quero viver, quero viver].

Créditos das fotos

O autor e a editora agradecem pela permissão de reprodução das imagens utilizadas neste livro:

Página 13 Mae Clarke e Kent Douglas em *A ponte de Waterloo* © Hulton Archive/Getty Images

Página 17 Homem vendendo elixir © Old Visuals/Photoshot

Página 23 Mia Farrow com André Previn e os filhos © Alfred Eisenstaedt/Time & Life Pictures/Getty Images

Páginas 26-27 Silhueta de um carvalho ao pôr do sol © Ken Leslie/Getty Images

Página 49 Mãe sorrindo para bebê no moisés © Constance Bannister Corp/Getty Images

Página 67 Roger Federer em Wimbledon 2012 © Clive Rose/Getty Images

Página 75 Partida de futebol © Oli Scarff/Getty Images

Página 87 Ignorando a esposa © FPG/Getty Images

Páginas 92-93 Ida ao trabalho © René Mansi/Getty Images

Página 97 Menina dançando balé © Martin Pohner/Getty Images

Página 107 Menina no mercado, Índia © ARUN EV/Getty Images

Página 124 Pai e filho brincando de luta © Nomadic Luxury/Getty Images

Página 129 Mãe *Macaca sinica* segurando seu bebê © Sean Gallup/Getty Images

Página 136 Firmine Richard e Daniel Auteuil em *Romuald et Juliette* © REX/Moviestore Collection

Páginas 152-153 Packhorse Bridge, Watendlath, Distrito dos Lagos © Tim Graham/Getty Images

Páginas 156-157 Homem praticando Tai Chi © Martin Puddy/Getty Images

Anotações

Se você gostou deste livro e quer ler mais sobre as grandes questões da vida, pode pesquisar sobre os outros livros da série em www.objetiva.com.br.

Se você gostaria de explorar ideias para seu dia a dia, THE SCHOOL OF LIFE oferece um programa regular de aulas, fins de semana, sermões seculares e eventos em Londres e em outras cidades do mundo. Visite www.theschooloflife.com

Como viver na era digital
Tom Chatfield

Como pensar mais sobre sexo
Alain de Botton

Como mudar o mundo
John-Paul Flintoff

Como se preocupar menos com dinheiro
John Armstrong

Como manter a mente sã
Philippa Perry

Como encontrar o trabalho da sua vida
Roman Krznaric

Como lidar com a adversidade
Christopher Hamilton

Como desenvolver saúde emocional
Oliver James

Como envelhecer
Anne Karpf

Como ficar sozinho
Sara Maitland